Chère lectrice,

Qui n'a jamais rêvé de posséder un petit cottage niché dans la généreuse et verdoyante campagne anglaise ? Pour Poppy, la jeune héroïne d'*Un si troublant adversaire* (premier volet de la trilogie « Irrésistibles héritiers », Azur n° 3523), la maison léguée par sa grand-mère est un havre de calme et de beauté. Aussi déteste-t-elle Raffaele Caffarelli, le richissime milliardaire qui a racheté le manoir voisin et ne cache pas son intention de mettre la main sur son domaine. Mais dans ce décor idyllique, il suffit parfois d'une étincelle pour que la haine se transforme en amour. Et entre l'arrogant homme d'affaires franco-italien et l'impétueuse Anglaise, ce ne sont pas les étincelles qui manquent…

Très bonne lecture !

La responsable de collection

Un refuge andalou

LUCY KING

Un refuge andalou

collection *Azur*

éditions HARLEQUIN

Collection : Azur

Cet ouvrage a été publié en langue anglaise
sous le titre :
ONE MORE SLEEPLESS NIGHT

Traduction française de
CATHERINE BENAZERAF

HARLEQUIN®
est une marque déposée par le Groupe Harlequin

Azur® est une marque déposée par Harlequin S.A.

© 2013, Lucy King.
© 2014, Traduction française : Harlequin S.A.

ÉDITIONS HARLEQUIN
83-85, boulevard Vincent-Auriol, 75646 PARIS CEDEX 13.
Service Lectrices — Tél. : 01 45 82 47 47

www.harlequin.fr
ISBN 978-2-2803-0754-3 — ISSN 0993-4448

1.

•

Quelqu'un venait d'entrer dans la maison !

Au bruit sourd de la porte d'entrée, Nicky se redressa dans son lit, le cœur battant à tout rompre. Prise de panique, elle se cramponna à son livre avec une telle force que ses jointures blanchirent.

A peine quelques secondes plus tôt, elle était paisiblement adossée aux oreillers, absorbée par le récit des aventures de don Quichotte. Pour la première fois depuis des semaines, elle se réjouissait à l'idée de s'accorder une vraie nuit de repos.

Peut-être allait-elle enfin parvenir à remettre un peu d'ordre dans son existence, si perturbée au cours des derniers mois ?

Le fracas de la porte l'avait arrachée sans ménagement à ses rêveries.

Envolée toute sa belle sérénité !

Tremblante, sur le qui-vive, Nicky ne pouvait plus penser à autre chose qu'à cette inquiétante réalité : il y avait quelqu'un dans la maison !

Qui cela pouvait-il être ? s'interrogea-t-elle, tandis qu'une sueur froide inondait tout son corps.

A n'en pas douter, le pas lourd qui résonnait sur les dalles du rez-de-chaussée n'était pas celui d'Ana, la frêle gouvernante. Ni de Maria, la discrète cuisinière. Quant aux employés du domaine susceptibles d'avoir une démarche aussi pesante que celle qui gravissait maintenant l'escalier, il n'y avait aucune raison pour qu'ils se trouvent dans cette partie de la vaste demeure à une heure aussi avancée de la nuit.

D'ailleurs personne, à part elle-même, n'y résidait.

L'intrus avait atteint le palier. Il laissa tomber quelque chose avec un bruit mat, puis remonta le long couloir à grandes enjambées.

Le cœur de Nicky s'accéléra. Elle sentit le sang battre furieusement à ses tempes. L'individu approchait de sa chambre. Dans quelques secondes, elle verrait la poignée tourner et…

Des images effroyables se bousculèrent dans son esprit et, soudain, l'angoisse qui l'étreignait fit place à l'affolement.

Elle se mit à trembler de tous ses membres et sa vue se brouilla. Le souffle court, elle était au bord du vertige.

Non ! Il n'était pas question qu'elle tourne de l'œil ! Qu'adviendrait-il si elle perdait conscience ? Dieu seul savait quelles étaient les intentions de celui qui se tenait derrière sa porte. Sa vie était peut-être en jeu…

S'efforçant de respirer profondément, Nicky rassembla tout son courage et fit taire son imagination. Il était impératif qu'elle recouvre son calme.

Qui plus est, elle était prête à tout pour arracher à un éventuel cambrioleur le seul objet auquel elle tenait : son précieux appareil photo. Quand bien même elle n'y avait plus touché depuis de longues semaines.

Ne s'était-elle pas déjà trouvée en bien plus mauvaise posture par le passé ? songea-t-elle pour se rassurer.

Or, elle en était sortie indemne. Tout au moins physiquement.

Pourquoi s'avouerait-elle vaincue, cette fois-ci ?

Se fiant à son instinct, qui l'avait tirée de plus d'un mauvais pas au cours de sa carrière de reporter-photographe, Nicky examina les options qui s'offraient à elle. Certes, elles n'étaient pas très nombreuses.

Une idée se fit pourtant jour dans son esprit.

Il était temps ! Les pas ralentissaient dans le couloir, et ils ne tarderaient pas à s'immobiliser devant sa porte.

Serrant les mâchoires, elle agrippa encore plus fermement le volume qu'elle tenait entre les mains.

Dieu merci, elle avait été bien inspirée lorsqu'elle avait choisi dans la bibliothèque une édition intégrale de *Don Quichotte*. L'ouvrage ne devait pas faire moins de mille pages, et il pesait une tonne.

Sans bruit, Nicky se glissa hors du lit.

Quelle abominable semaine !

Avec un bâillement, Rafael se passa la main sur le visage d'un geste las. A grandes enjambées, il se dirigea vers le filet de lumière qui filtrait sous une porte à l'autre bout du couloir.

Une lampe oubliée, sans doute, car la demeure était vide.

Franchement, il n'avait pas souvenir d'avoir vécu période aussi éprouvante depuis longtemps. Tous ses muscles étaient perclus de douleur, et il avait les nerfs en pelote.

Certes, son épuisement était en partie dû aux longues heures de délicates tractations qui avaient fini par déboucher sur la fusion entre les deux entreprises qu'il conseillait. L'opération, à laquelle il travaillait depuis plusieurs semaines, avait abouti le jour même. A sa grande satisfaction.

Néanmoins, s'il était à ce point exténué, c'était surtout parce que toutes les femmes de son entourage semblaient s'être liguées pour le harceler sans répit.

Elisa, tout d'abord, la compagne avec laquelle il avait rompu quinze jours auparavant, était venue le harceler au bureau l'avant-veille. De toute évidence, elle ne pouvait se résoudre à la rupture. Ce n'était pas faute, pourtant, d'avoir toujours été très clair sur le fait qu'il ne lui offrirait qu'une aventure sans lendemain. Elle semblait convaincue de parvenir à le faire changer d'avis.

Submergé de travail et bien trop harassé pour se résoudre à l'affronter, Rafael s'était contenté de marmonner de vagues explications, en promettant une discussion ultérieure.

Mais à peine était-il remis de ce face-à-face que sa mère l'avait appelé pour se plaindre amèrement de son père. Comme cela lui arrivait parfois, ce dernier s'était enfermé dans son bureau et restait sourd à toutes les sollicitations. Sommé d'intervenir pour régler le problème, Rafael avait fini par comprendre que l'auteur de ses jours cherchait tout simplement à échapper à l'effervescence entourant l'organisation d'un bal de charité par son épouse.

Lorsque Rafael avait conclu que, pour sa part, il n'aurait pas refait surface avant que le maudit bal n'ait eu lieu, sa mère lui avait raccroché au nez.

Sa sœur aînée n'avait pas tardé à le déranger à son tour. Elle tenait à l'inviter à un dîner dont Rafael soupçonnait qu'il n'avait pour objet que de lui faire rencontrer une célibataire avec laquelle on envisageait de le caser.

Comment parviendrait-il à faire comprendre qu'il n'avait pas besoin qu'on se mêle de sa vie amoureuse ?

Lola semblait s'être donné pour mission de voir son frère convoler de nouveau.

Elle perdait son temps, car Rafael n'avait aucune intention de se remarier. Encore moins avec l'une des amies de ses sœurs !

Il savait par expérience que c'était prendre le risque d'un désastre retentissant. Imperméable à ses objections, qu'elle balayait d'un revers de main, Lola s'obstinait à lui trouver chaussure à son pied.

Lorsque cela avait été au tour de Gabriela, sa plus jeune sœur, de le soumettre à un feu roulant d'appels téléphoniques et d'e-mails, Rafael avait jugé préférable de faire le mort.

Simple réaction d'autodéfense !

Quoi que Gaby puisse lui vouloir, cela attendrait.

Il était temps qu'il échappe à la frénésie de son entourage !

Sans plus réfléchir, Rafael avait sauté dans sa voiture et demandé à son chauffeur de prendre la direction de l'aéroport où l'attendait son jet privé, après un rapide détour à son appartement pour rassembler quelques effets.

Un petit séjour en Andalousie lui ferait le plus grand bien !

C'était ce qu'il s'était dit en sentant la chaleur de la nuit d'encre, parfumée de jasmin, pénétrer par tous ses pores, tandis qu'il écoutait le merveilleux silence du jardin. Déjà, la tension qui nouait ses muscles endoloris semblait se relâcher.

A rester à Madrid, il aurait certainement fini par tomber d'épuisement. Et qui sait s'il n'en serait pas venu à perdre son calme avec sa mère et ses sœurs, en dépit de la force du lien qui les unissait ?

Oui, inutile de culpabiliser !

Elles survivraient très bien sans lui pendant une semaine ou deux, quand bien même il avait disparu sans un mot. Quant à son père, il avait des stratégies suffisamment efficaces pour se mettre à l'abri du chaos ambiant.

Un peu de repos serait le bienvenu !

Tout ce qu'il voulait, c'était une semaine ou deux de paix et de tranquillité dans son cher vignoble. Une passion qu'il avait hélas négligée depuis trop longtemps.

Il rêvait de longues promenades matinales parmi ses vignes, et d'après-midi paresseux à déguster leur production au bord de la piscine. Il avait besoin de détente, de soleil, de grand air et surtout de solitude.

Etait-ce trop demander ?

Il avait atteint la porte sous laquelle on voyait poindre de la lumière. Actionnant la poignée, il entrouvrit pour glisser une main à l'intérieur et chercher l'interrupteur.

Sans doute Ana avait-elle oublié d'éteindre.

Ce fut sa dernière pensée cohérente.

Avant même qu'il n'ait le temps de comprendre ce qui se passait, la porte s'ouvrit à la volée. Quelque chose heurta violemment sa tempe, et la douleur explosa dans son crâne.

Oui !

Nicky sentit une décharge d'adrénaline mêlée à un sentiment de triomphe lui monter à la tête. Elle expira, après avoir retenu son souffle pendant un temps qui lui avait paru infini.

En grommelant, l'intrus avait titubé dans l'ombre.

Bien fait ! Il n'ignorerait plus à qui il avait affaire.

Comme le disait l'adage, l'attaque était la meilleure défense. L'effet de surprise aidant, l'homme n'avait pas eu la moindre chance de résister à son assaut.

Apparemment, elle avait frappé juste. Se rattrapant au chambranle, il laissa échapper une bordée de furieuses injures en espagnol.

D'accord, le choc avait dû lui faire mal. Cela dit, tout remords était inutile. Après tout, elle avait seulement fait face au danger !

Il y avait bien longtemps que Nicky n'avait savouré un tel sentiment de victoire.

Après toutes ces longues semaines de tristesse et d'accablement, c'était quelque chose de nouveau auquel il conviendrait qu'elle réfléchisse.

Cependant, l'analyse attendrait un peu.

En effet, sa stratégie n'avait pas tout à fait porté ses fruits.

Avec son impressionnante carrure, l'homme occupait tout l'encadrement de la porte, ce qui interdisait à Nicky de prendre la fuite.

Or, à en juger par la façon dont il redressait sa haute silhouette et secouait la tête, il était manifeste qu'il récupérait bien plus vite qu'elle ne l'aurait imaginé.

De nouveau, Nicky sentit la terreur lui nouer l'estomac, tandis que ses pensées s'emballaient.

Si elle voulait prendre ses jambes à son cou, il allait

lui falloir réitérer son attaque. Et, cette fois, de toutes ses forces afin d'abattre le gaillard, juste le temps nécessaire pour l'enjamber et filer.

Tout ce qui comptait, c'était qu'elle parvienne à se tirer de ce mauvais pas.

Oubliant tout le reste, Nicky fit appel à sa combativité et à son instinct de survie, puis brandit le lourd volume une nouvelle fois.

Elle n'eut pas le temps de frapper.

L'homme actionna l'interrupteur et se jeta sur elle.

Eblouie par la lumière qui inondait la pièce, sonnée par la masse qui venait de la percuter, Nicky poussa un cri perçant à l'instant même où elle perdait l'équilibre.

Comme au ralenti, elle se sentit chuter, suivie par son assaillant. Une large main empoigna l'arrière de sa tête, et un bras puissant l'entoura.

Elle lâcha le livre qui s'écrasa sur le tapis avec un bruit sourd. Avec quoi allait-elle se défendre, maintenant ? eut-elle le temps de penser.

Après ce qui lui sembla durer des heures, mais n'avait pas dû excéder une seconde, elle heurta le sol. Tandis que ses poumons se vidaient de leur air et que sa vision se brouillait, elle fut prise d'un étourdissement. Pendant quelques interminables secondes, elle n'entendit plus que son cœur qui battait la chamade et le sang qui rugissait à ses oreilles.

Peu à peu, le vertige se dissipa. Le choc s'atténua. Nicky prit conscience d'une respiration saccadée tout contre sa joue. Un cœur battait à l'unisson du sien. Mais surtout, un poids écrasant la maintenait au sol, la privant d'air. A demi affalé sur elle, l'homme ne semblait pas disposé à s'écarter.

A vrai dire, il ne montrait pas le moindre signe de vie.

C'était providentiel, se dit Nicky. Il ne lui fallait pas perdre de temps si elle voulait profiter de son avantage.

Placée comme elle l'était, il lui était possible de le

gratifier d'un bon coup de genou là où cela lui ferait le plus mal. Mais d'abord, elle tenait à fixer dans son esprit les traits qu'elle devrait décrire à la police.

Posant les mains à plat sur un torse d'airain, elle leva les yeux vers le visage de l'homme.

Ce fut alors que son sang se glaça dans ses veines.

Cette chevelure d'ébène, ces yeux d'un vert intense frangés de cils très fournis, ce teint hâlé, cette bouche aux lignes sensuelles...

N'était-ce pas le portrait qu'elle avait si souvent contemplé sur le manteau de cheminée, chez son amie Gaby ?

Il n'y avait pas à s'y méprendre !

Cette fois, ce fut un soupir horrifié qui s'échappa de ses lèvres. L'excitation de la bagarre s'évanouit aussitôt. A sa place, Nicky sentit monter en elle une humiliation cuisante.

Oh ! Seigneur...

Pour aussi improbable que cela puisse paraître — en dépit du fait qu'il était censé se trouver à Madrid, et délaisser quelque peu son domaine d'Andalousie — c'était bel et bien son hôte qu'elle avait été à deux doigts d'envoyer *ad patres* !

2.

Inimaginable !

Ainsi, la personne qui lui avait pratiquement fendu le crâne, n'était autre … qu'une *femme* !

Reprenant son souffle, Rafael évalua celle qui l'avait entraîné dans sa chute. Bien qu'elle semblât dotée de longues jambes fuselées, elle devait à peine lui arriver à l'épaule.

La force du coup reçu lui avait laissé supposer que son agresseur ne pouvait être qu'un grand baraqué, pour le moins armé d'un pied-de-biche. C'était la raison pour laquelle il s'était jeté en avant sans réfléchir davantage.

Comment imaginer cette crinière de boucles brunes déployée sur le sol, dont la masse soyeuse caressait sa main ? Et ces grands yeux gris-bleu qui le fixaient avec épouvante ?

Qui plus est, son attaquante se révélait être à demi nue !

Comme si c'était le moment de s'intéresser à ce genre de détail ! se reprocha-t-il *in petto*.

La grimace que lui arracha cette constatation ne fit qu'accentuer la douleur qui lui vrillait le crâne tel un marteau-piqueur. Il laissa échapper un juron.

Il n'avait pas seulement mal à la tête. C'était tout son corps qui le faisait souffrir.

La malheureuse qu'il écrasait de tout son poids ne devait pas se sentir beaucoup mieux. Il l'entendit grommeler.

Dans la chute, elle s'était cramponnée à ses épaules. Elle le lâcha pour se frotter les yeux.

Dégageant ses bras, Rafael roula sur le côté, puis resta allongé sur le dos, les paupières closes, dans l'espoir que s'apaisent les élancements qui continuaient à le tenailler.

Il prit une profonde inspiration. Si, au moins, il parvenait à comprendre quelque chose à toute cette histoire !

— Oh ! Mon Dieu ! s'exclama une voix à l'accent typiquement britannique. Je suis désolée. Si j'avais pensé… Est-ce que vous vous sentez bien ?

Quelle question ! s'indigna intérieurement Rafael.

A se demander avec quoi elle avait bien pu lui assener un tel coup.

— Rafael ?

Cette fois, la voix s'était faite plus douce, plus grave aussi, et avait pris une intonation presque inquiète.

Rafael lui trouva même une sensualité qui fit naître dans son esprit une image troublante. Il s'égara jusqu'à imaginer leurs deux corps dénudés, enlacés sur une couche bien plus moelleuse que le parquet sur lequel ils reposaient pour l'instant. Et cette voix murmurait à son oreille des phrases d'une sensualité torride…

Cette vision s'effaça d'un seul coup lorsque sa voisine le gratifia d'une petite tape sur la joue. Rien de particulièrement excitant !

Qu'est-ce que les femmes pouvaient bien avoir contre lui ?

Il souleva les paupières.

Ce fut pour voir de nouveau trente-six chandelles !

La jeune femme s'était mise à genoux, et elle penchait sur lui un décolleté plongeant qui découvrait une peau laiteuse constellée de délicates taches de rousseur. Elle était si près que Rafael humait les notes florales de son parfum. Et cette proximité était si aguichante qu'il fut à deux doigts de relever la tête pour venir nicher ses lèvres à la base de son cou…

Cette perspective l'excita, et une onde de chaleur le

parcourut, lui faisant oublier un instant le martèlement à ses tempes.

L'image de leurs corps, dans un lit, s'imposa de nouveau à lui. Avec encore plus de force maintenant qu'il ne manquait pas de détails croustillants à y rajouter. C'était un tableau tellement saisissant qu'il en cligna des paupières.

— Merci, mon Dieu, vous êtes vivant ! murmura la jeune femme en laissant échapper un soupir saccadé qui fit tressauter sa poitrine, ce qui accéléra le pouls de Rafael.

Il lui fallut toute sa volonté pour s'arracher à ce charmant spectacle.

Les grands yeux qui l'observaient avec attention brillaient d'anxiété dans un visage un peu trop pâle, un peu trop mince aussi.

Cependant, on n'aurait pu en dire autant des lèvres de la belle inconnue, constata-t-il, tandis qu'une nouvelle vague de chaleur lui faisait tourner la tête.

Sa bouche sensuelle, aux proportions généreuses, était terriblement attirante. Et ce d'autant plus qu'elle mordillait sa lèvre inférieure avec application.

— Aïe ! marmonna-t-il, en s'appliquant à résister à la tentation de faire tomber son assaillante à son côté pour s'occuper lui-même de sa lèvre.

Etant donné les circonstances, c'était une idée folle.

Ce coup sur la tête lui aurait-il laissé de graves séquelles ?

— Désolée pour la gifle ! J'ai vraiment cru que vous aviez perdu connaissance.

— Rassurez-vous, je vais bien.

Pieux mensonge !

A vrai dire, sa tête lui paraissait sur le point d'exploser. Cela n'avait rien d'étonnant, étant donné les divagations de son esprit.

Il s'imaginait cette bouche pulpeuse soudée à la sienne, puis laissant une traînée incandescente le long de son torse. C'était maintenant tout son corps qui vibrait des mêmes pulsations que celles qui ravageaient son crâne.

Si elles se propageaient jusqu'à son bas-ventre, il pourrait fort bien tourner de l'œil, comme le redoutait celle qui continuait à le dévisager avec perplexité.

Rafael porta la main à sa tempe pour vérifier s'il saignait.

— Craignez-vous une commotion cérébrale ? Faut-il que j'appelle du secours ?

— Non… Et non !

— Laissez-moi voir.

Avant qu'il n'ait le temps de réagir, la jeune femme se pencha au-dessus de lui et tendit la main pour glisser les doigts dans ses cheveux, à la recherche d'un hématome.

Sa poitrine frôla le torse de Rafael, puis vint se balancer imprudemment à quelques centimètres de sa bouche. Cette fois, ce fut en lui une véritable explosion de désir.

Seigneur, mais que lui arrivait-il ? C'était bien la première fois qu'il était à ce point troublé par une femme qu'il venait à peine de rencontrer. Et quand avait-il dû lutter aussi fort pour conserver son légendaire sang-froid ?

— Laissez, lança-t-il d'un ton sec, en lui agrippant le poignet pour arrêter son geste.

A son grand soulagement, l'inconnue s'immobilisa, sourcils froncés, puis se redressa lorsqu'il lâcha prise.

— Eh bien, si vous êtes sûr…

Rafael inspira et ferma les yeux un instant. Il était impératif qu'il reprenne le contrôle de lui-même avant de se mettre dans une situation embarrassante.

— Tout à fait sûr, dit-il.

Ce lui fut un effort presque surhumain de s'asseoir, et de retrouver l'empire qu'il avait habituellement sur ses sens.

Il remonta ses genoux vers sa poitrine — dans l'espoir de dissimuler les effets très visibles de son trouble — et y fit reposer ses coudes, frottant son cou endolori à deux mains.

Décidément, le calme et la tranquillité tant espérés n'étaient pas à l'ordre du jour. Quant à la solitude…

— Vous savez, je suis sincèrement désolée, déclara une petite voix.

— Vous l'avez déjà dit.

— Je vous ai pris pour un cambrioleur.

— Je n'aurais pas fait un voleur très discret.

— C'est vrai. Mais j'ai réagi sans prendre le temps d'analyser la situation.

Dommage, songea Rafael. Cette fille semblait être un vrai danger quand elle suivait son instinct. Ou même, simplement, quand elle révélait les courbes sinueuses de son corps ravissant.

Assise comme elle l'était, ses cuisses étaient encore bien trop près de Rafael qui n'aurait eu qu'à tendre la main pour les caresser. A l'idée de laisser ses doigts remonter le long des jambes dénudées, il sentit un picotement le parcourir, et s'obligea à masser plus énergiquement sa nuque.

— La prochaine fois que je me trouve face à une porte fermée, je prendrai la précaution de frapper, reprit-il en s'efforçant de chasser de son esprit toute pensée importune.

— Cela vaudra peut-être mieux, répliqua la jeune femme en hochant la tête.

— Dire que je voulais juste éteindre une lumière oubliée !

— N'étiez-vous pas censé être à Madrid ?

Il y avait dans cette question une note de reproche qui fit hausser un sourcil interrogateur à Rafael.

— Dois-je comprendre que vous m'accusez d'être responsable de ce qui m'arrive ?

Elle rougit.

— Pas vraiment, bredouilla-t-elle en recommençant à mordiller sa lèvre au grand désespoir de Rafael. Cependant, si vous aviez pris la précaution d'annoncer votre arrivée, je ne vous aurais pas agressé ainsi. Aviez-vous mis Ana au courant ?

Il aurait peut-être été bien inspiré de le faire, au lieu

d'agir sur un coup de tête, se dit Rafael. Ce n'était pourtant pas dans ses habitudes. Mais là n'était pas la question !

Il gratifia son adversaire du genre de regard qu'il réservait aux chefs d'entreprise les plus coriaces.

— Je n'imaginais pas que cela soit nécessaire.

— Non, bien sûr. Vous êtes chez vous. Je suis… navrée.

Ainsi, non seulement elle connaissait son prénom, mais elle savait aussi qu'il était le propriétaire des lieux. Voilà qui était irritant, dans la mesure où lui-même n'avait pas la moindre notion de qui pouvait bien être cette beauté à l'accent si typiquement britannique. Et aux courbes si désirables dans cette tenue légère.

Tout ce qu'il savait, c'était qu'elle était dotée d'une peau de satin, et d'une chevelure dont le contact sous ses doigts évoquait la soie la plus fine.

Cela dit, il ferait mieux de ne pas s'attarder sur ces détails. C'était assez de confusion pour ce soir !

— Exactement, rétorqua-t-il d'un ton sec. Par conséquent, j'apprécierais que vous me disiez qui vous êtes, et ce que vous faites ici.

La jeune femme battit un instant des paupières, et afficha un timide sourire.

— Eh bien, je suis Nicky.

— Nicky ?

— Nicky Sinclair.

Les sourcils froncés, Rafael chercha en vain ce que cette identité était censée lui évoquer.

— On se connaît ? interrogea-t-il.

— J'espérais que mon nom vous dirait quelque chose.

— Ce n'est pas le cas.

Il était bien certain de ne connaître aucune Nicky Sinclair, ou autre. Sans le moindre regret, d'ailleurs, si elles étaient toutes de cette trempe !

Le sourire s'effaça sur le visage de son interlocutrice.

— Oh ! souffla-t-elle d'un air désolé qui émut Rafael.

— Puis-je savoir ce que vous faites chez moi ? insista-t-il, décidé à se concentrer sur l'essentiel.

— Je suis en vacances.

Depuis quand les portes du *cortijo* — la ferme qu'il possédait en Andalousie — étaient-elles ouvertes à d'autres qu'aux membres de sa famille ? se demanda Rafael.

Eh bien, c'était la preuve qu'il aurait dû venir plus souvent inspecter son précieux vignoble, au lieu de se contenter des comptes rendus de son intendant.

Dieu sait ce qui avait bien pu se passer en son absence !

— En vacances ? Et depuis quand ?

— Deux jours, seulement.

— Pour combien de temps ?

La jeune femme haussa les épaules d'un air gêné. Ce qui fit se soulever sa poitrine une nouvelle fois, ne put s'empêcher de remarquer Rafael.

— Je ne sais pas trop. Je n'y ai pas vraiment réfléchi.

— Et combien êtes-vous à séjourner ici ?

— Je suis seule.

Voilà au moins une bonne nouvelle ! se réjouit intérieurement Rafael.

Oubliant l'ecchymose sur sa tempe, il se passa les mains dans les cheveux, ce qui lui arracha une grimace.

Il ne lui serait pas trop difficile de se débarrasser de l'intruse. Il suffirait de lui proposer son jet privé — posé sur l'aéroport situé à quelques kilomètres de là. Le pilote la conduirait, séance tenante, vers la destination de son choix.

Pour rien au monde il n'accepterait de cohabiter avec cette Nicky, au tempérament par trop volcanique. Elle n'avait qu'à aller poursuivre ses vacances ailleurs !

Dès qu'elle aurait tourné les talons, il pourrait oublier les événements traumatisants de cette hallucinante soirée, et se reposer comme il l'avait prévu.

Cela dit, ils n'allaient pas rester assis par terre indéfiniment.

Rafael se mit debout avec peine, et tendit la main à la jeune femme pour l'aider à se lever.

— Je vois bien que vous ne comprenez pas les raisons de ma présence chez vous, dit-elle d'un air chagriné tout en glissant sa main dans la sienne.

— En effet.

Il n'y avait pas que cela qui était incompréhensible, déplora Rafael en son for intérieur. Inexplicablement, ce contact avait fait courir une décharge électrique tout le long de son bras.

— Je savais bien que c'était trop beau pour être vrai, soupira la jeune femme, qui s'était relevée et libérait sa main.

Rafael ne put s'empêcher d'en éprouver un pincement de regret, mais préféra fixer son attention sur le découragement qui semblait avoir envahi son interlocutrice.

— De quoi parlez-vous ? questionna-t-il, plus affecté par son air attristé qu'il ne l'aurait voulu.

— De mon séjour ici. Malgré ce que disait Gaby, j'avais l'intuition que ce n'était pas une bonne idée.

— Vous connaissez Gaby ?

Une nouvelle fois, la jeune femme leva vers lui un sourire penaud.

— Oui. Elle m'avait dit qu'elle réglerait les choses avec vous, mais je vois qu'elle ne l'a pas fait.

Cela lui apprendrait à dire à ses sœurs qu'elles pouvaient utiliser le *cortijo* à leur convenance, se morigéna Rafael. Il repensa à la quantité d'e-mails envoyés par Gaby, et qu'il avait négligé d'ouvrir. Comme il s'était abstenu de répondre à ses appels téléphoniques.

— Non, dit-il avec un léger sentiment de culpabilité.

— C'est bien ce que je pensais.

La jeune femme soupira de nouveau et parut encore plus abattue. A son grand agacement, Rafael sentit son cœur se serrer. Nicky avait l'air si vulnérable que cela réveillait en lui un instinct de protection qu'il s'efforçait d'ordinaire de juguler.

C'était ridicule ! Une femme capable de lui assener le coup qu'elle lui avait porté n'avait pas besoin d'un protecteur.

Cependant, elle affichait une mine tellement défaite qu'il ne trouva pas le courage de lui intimer l'ordre de débarrasser le plancher sans tarder.

De plus, si elle était vraiment l'amie de l'une de ses sœurs, il ferait mieux de ne pas la jeter dehors. Cela ne lui vaudrait que d'interminables récriminations !

Pour l'instant, il était plus de minuit, et il était bien trop fatigué pour prendre quelque décision que ce soit.

— Ecoutez, il est tard, dit-il. Nous discuterons de tout cela demain matin.

— D'accord, lâcha Nicky dans un soupir. Bonne nuit…

Elle exprimait tant de découragement que, l'espace d'un instant, Rafael fut tenté de commettre un geste insensé. Comme de la prendre dans ses bras pour lui dire qu'il n'y avait rien de grave, que tout allait s'arranger.

— Bonne nuit, se contenta-t-il de marmonner, avant de tourner les talons et de s'engager dans le couloir.

Jusque-là, la nuit avait été tout sauf bonne, se dit-il en s'éloignant. Or elle promettait de ne pas s'arranger. Son cerveau lui semblait prêt à exploser, et il ne parvenait toujours pas à apaiser l'excitation que la jeune femme avait fait naître en lui.

D'un œil morose, Nicky regarda Rafael ramasser le sac de voyage qu'il avait laissé tomber en haut de l'escalier, et disparaître à l'angle du couloir.

Décidément, tout allait de mal en pis !

Rien d'étonnant à ce que son séjour au *cortijo* ne se déroule pas comme elle l'avait espéré ! N'était-ce pas le cas de tous les événements qui s'étaient succédé dans sa vie depuis peu ?

Ajouté aux six mois qu'elle venait de traverser, cet épisode était la cerise sur le gâteau.

Anéantie, elle ramassa *Don Quichotte* et regagna son lit d'un pas lourd. Se glissant entre les draps, elle éteignit la lampe de chevet.

Comment en était-elle arrivée là ? se demanda Nicky, fixant l'obscurité, tandis que la détresse qui lui était désormais familière l'envahissait de nouveau.

Six mois plus tôt, rien ne l'arrêtait.

Certes, elle venait d'être victime d'un incident fort désagréable au Moyen-Orient, où l'avait entraînée son travail de photojournaliste.

Mais elle avait décidé de tourner le dos à cet épisode traumatisant.

Pour ce faire, elle s'était jetée tête baissée dans le travail, acceptant tous les reportages qu'on lui proposait. Elle parcourait le monde sans trêve, ne marquant une pause que pour quelques week-ends torrides avec le très séduisant journaliste avec lequel elle entretenait une liaison épisodique.

Elle refusait résolument de prêter l'oreille à tous les oiseaux de mauvais augure qui la mettaient en garde contre le risque de troubles post-traumatiques supposés devoir faire suite à l'agression qu'elle avait subie.

Mis à part quelques cauchemars occasionnels, et une légère phobie de la foule, elle n'en montrait pas le moindre symptôme.

Pendant des mois, elle s'était convaincue qu'elle se portait comme un charme.

Jusqu'à ce matin, où elle s'était réveillée avec l'impression d'avoir un poids de plusieurs tonnes sur la poitrine. Un soleil radieux inondait les toits de Paris, et une multitude de projets réclamaient son attention, et cependant elle avait été incapable de mettre un pied hors de son lit.

Tout d'abord, elle avait essayé de se persuader que ce n'était qu'une mauvaise passe. Mais les choses n'avaient cessé d'empirer. Les mauvais jours se succédaient inéluctablement. Son dynamisme et sa joie de vivre s'étaient envolés. Et, à son grand désespoir, elle en était venue à refuser les propositions de reportages qu'elle aurait autrefois acceptées de bon cœur.

Sans trop comprendre ce qui lui arrivait, elle s'était mise à ne plus répondre au téléphone, et à négliger de consulter ses e-mails.

Il n'était pas jusqu'à son appétit et son sommeil qui n'aient été affectés. Lorsqu'elle finissait par s'endormir, après des heures passées à se retourner dans son lit, c'était pour être en proie à d'épouvantables songes qui la réveillaient en sursaut, haletante et en sueur, tremblant de tous ses membres.

Quant à sa libido, elle n'avait pas tardé à suivre le même chemin. Sa liaison avec son beau journaliste en avait d'ailleurs fait les frais.

Ses relations s'étaient réduites à leur plus simple expression, et elle ne mettait pratiquement plus un pied hors de chez elle. Elle s'était peu à peu laissé envahir par la lassitude, et un profond dégoût de toute chose.

Le diagnostic de Gaby — la semaine précédente, tandis qu'elles partageaient une bouteille de vin — avait été sans appel : cas typique de surmenage.

Que Gaby puisse faire autorité sur le sujet restait encore à démontrer. Décoratrice d'intérieur à ses moments perdus, elle occupait ses journées à repenser dans un esprit Fengshui la décoration d'une somptueuse villa quelque part dans l'émirat de Bahreïn. Toute notion de surmenage semblait lui être étrangère.

Nicky l'avait cependant écoutée décrire ses symptômes, et lui exposer ce qu'elle présentait comme le seul plan susceptible de la tirer d'affaire.

« Va en Espagne, avait-elle asséné. Laisse tout tomber,

et pars te reposer loin de tout. Prends le temps nécessaire pour retrouver ton équilibre. Lézarde au soleil. Reprends des forces et des couleurs. La maison de mon frère sera le lieu idéal pour cela. Il n'a même plus le temps d'y mettre les pieds. Tu peux donc y séjourner aussi longtemps qu'il le faudra. Ne te soucie de rien. Je m'occupe de tout ! »

A en croire Gaby, c'était la solution idéale. Nicky s'était laissé convaincre. Dès le lendemain de cette discussion, elle avait réservé un vol pour l'Andalousie, rassérénée à la fois par le fait d'avoir autre chose en tête que sa propre détresse, et par la perspective qu'il y avait peut-être une lumière au bout du tunnel.

Elle avait passé à peine deux jours au *cortijo,* et son moral ne lui semblait pas s'être véritablement amélioré. Il lui faudrait davantage de temps pour cela.

Hélas, le sort se liguait contre elle ! Gaby n'avait rien réglé du tout.

Nicky ferma les yeux et l'image du beau visage de Rafael s'imposa à son esprit. Elle se raidit en se remémorant son expression renfrognée. Même après qu'ils eurent éclairci le malentendu à l'origine de ce premier contact un peu trop musclé, il était demeuré tendu et irritable tout au long de leur conversation.

Il était donc hors de question qu'elle s'impose chez lui.

Quand bien même il ne la jetterait pas dehors dès le matin, elle ne pourrait que se sentir importune. N'avait-elle pas suffisamment de problèmes, pour éviter d'ajouter un sentiment de culpabilité à son malaise ?

Dès le lendemain, aux premières heures de la matinée, elle ferait sa valise et sauterait dans sa petite voiture de location.

3.

Rafael étouffa un bâillement et posa la cafetière sur la plaque chauffante.

Contrairement à ce qu'il avait redouté, la nuit lui avait apporté un repos salutaire.

Après avoir quitté Nicky, il avait avalé deux comprimés d'antalgiques, puis s'était octroyé une douche glacée dont les effets s'étaient révélés des plus opportuns aussi bien sur la douleur qui lui vrillait le crâne que sur la fièvre qui continuait à courir dans ses veines.

Il s'était ensuite effondré dans son lit et avait sombré dans le sommeil à peine sa tête avait-elle touché l'oreiller.

Aussi s'était-il réveillé de bien meilleure humeur.

Maintenant qu'il avait repris possession de toutes ses facultés, ainsi que de son flegme coutumier, sa réaction de la veille lui paraissait bien excessive.

Avec ses grands yeux gris-bleu, ses boucles brunes tombant en cascade sur ses épaules, et ses membres déliés, Nicky n'avait rien d'une femme fatale.

L'effet qu'elle avait produit sur lui la veille avait beau être surprenant, il n'y avait pas de quoi se mettre martel en tête.

N'importe quel mâle, normalement constitué aurait réagi de la sorte en se retrouvant bras et jambes mêlés avec une ravissante jeune femme à moitié nue.

Quant aux visions érotiques qui avaient émaillé ses rêves, elles n'avaient rien d'étonnant. Il ne fallait y voir autre chose que l'œuvre de son subconscient réagissant au traumatisme de cet épisode mouvementé.

Comment avait-il pu percevoir la présence de Nicky comme une menace pour sa tranquillité d'esprit ? C'était ridicule !

Depuis son divorce, Rafael avait pris soin de ne laisser aucune femme avoir quelque impact que ce soit sur sa sérénité — hormis ses sœurs et sa mère, mais là il s'avouait impuissant. Comment une femme qu'il ne connaissait même pas pourrait-elle le mettre en danger ?

Après tout, qu'est-ce qui empêchait qu'elle reste au *cortijo* ?

La maison était suffisamment vaste. Par ailleurs, ce n'était pas la faute de Nicky s'il ne s'était pas attendu à avoir une invitée. Il aurait mieux fait de ne pas ignorer l'avalanche de messages que Gaby avait laissée sur son portable et son ordinateur.

A bien y réfléchir, il y avait chez Nicky quelque chose de mélancolique qui l'intriguait. Pour quelqu'un censé être en vacances, elle ne rayonnait pas vraiment de bonheur. Et pourquoi avait-elle choisi de s'isoler dans un lieu de villégiature où elle ne risquait pas de croiser âme qui vive ?

La seule qui aurait pu éclairer Rafael sur le mystère de cette ténébreuse inconnue, c'était Gaby. Malheureusement, son téléphone était coupé. Quant aux e-mails qu'il avait fini par aller consulter, ils ne disaient rien de plus que « appelle-moi », avec une insistance croissante.

Cela dit, il n'était pas nécessaire d'en savoir davantage sur Nicky pour comprendre qu'elle avait des soucis. Quelle que soit leur nature — qu'il ne souhaitait pas élucider — il ne se le pardonnerait pas si, après l'avoir mise dehors, il lui arrivait quelque chose de fâcheux.

Allons, songea-t-il, c'était décidé : Nicky pouvait rester.

Pour sa part, il aurait suffisamment à s'occuper pour ne pas la déranger. Et s'il advenait qu'il éprouve encore quelque émotion à la croiser, il ne doutait pas de parvenir à juguler ces émois intempestifs. N'avait-il pas recouvré son calme, et une forme presque olympique ?

Un étrange grondement, à l'étage au-dessus, lui fit froncer les sourcils. Abandonnant son café, il se dirigea vers le hall pour voir ce que cela pouvait bien être.

La meilleure chose à faire, c'était de quitter les lieux sans plus attendre, se répéta Nicky en tirant laborieusement sa valise derrière elle le long du couloir.

Cela dit, ce n'était guère de gaieté de cœur qu'elle s'y résolvait. Que diable allait-elle faire lorsqu'elle aurait regagné Paris ?

S'enfermer chez elle pour s'y morfondre n'était pas une perspective particulièrement réjouissante. Quant à chercher un autre lieu de villégiature, avec toutes les démarches que cela représentait, c'était au-dessus de ses forces.

Elle pourrait toujours aller passer quelque temps chez ses parents. Mais à l'idée d'affronter leur inaltérable bonne humeur, elle se sentait déjà épuisée.

Si seulement Rafael n'avait pas choisi précisément ce week-end pour venir faire un tour chez lui… Si seulement Gaby l'avait mis au courant de sa présence… Si seulement elle n'avait pas manqué l'assommer…

Si seulement…

Son moral toucha le fond. Combien de fois n'avait-elle pas prononcé ces deux mots, depuis quelque temps ? Dire qu'autrefois elle était imperméable aux regrets !

Nicky serra les dents, tout en tirant d'un coup sec sur sa valise pour dégager les roulettes coincées dans le tapis.

Il fallait qu'elle se reprenne au plus vite. Sinon elle finirait par perdre la raison.

— Bonjour.

Au son de cette voix de basse qui venait interrompre ses sombres méditations, Nicky marqua une pause pour regarder en bas de l'escalier.

Rafael se tenait dans l'encadrement de la porte menant dans la cuisine. Pieds nus, les cheveux en bataille, vêtu d'un short kaki et d'un polo noir, il arborait un sourire assassin qui avait dû en faire défaillir plus d'une, songea Nicky, en s'étonnant d'y être tout à fait insensible.

— Bonjour, répondit-elle d'un ton sec.

Comme si quoi que ce soit de bon pouvait survenir pour elle ce jour-là !

— Bien dormi ?

Pas vraiment. Mais, au moins, elle n'avait pas été réveillée par cet affreux cauchemar qui l'assaillait régulièrement.

— Comme une souche, mentit-elle, en s'efforçant d'esquisser un sourire. Et vous ?

— Très bien.

— Comment va votre tête ?

— Beaucoup mieux.

Nicky se réjouit d'avoir ce poids de moins sur la conscience.

— Dieu soit loué ! souffla-t-elle.

— Oh ! je pense que l'aspirine à plus à voir dans l'affaire qu'une intervention divine. Quoi qu'il en soit, je me sens très bien.

Posant son regard sur la valise, Rafael leva un sourcil intrigué.

— Vous allez quelque part ?

Pour un peu, Nicky lui aurait volontiers envoyé quelque sarcasme sur le don d'observation dont il faisait preuve, mais elle se contint. Après tout, ce n'était pas la faute de Rafael si elle était d'une humeur de dogue.

— A l'aéroport, se contenta-t-elle de répondre.

— Oh ? Pourquoi ?

Un instant, Nicky resta figée par la stupeur. Avait-il suffi d'une nuit de repos pour que Rafael oublie les événements de la veille ?

— Parce que je n'ai pas franchement envie de faire tous ces kilomètres en voiture !

Cette fois, elle n'avait pas cherché à cacher son agacement.

Un grand sourire éclaira de nouveau le visage de Rafael, et il haussa les épaules.

— Alors, vous feriez mieux de rester.

Pour un peu, Nicky se serait frotté les yeux, tant elle avait l'impression de rêver.

Avait-elle bien entendu ?

En tout cas, il semblait qu'elle se soit réveillée dans une sorte d'univers parallèle, car le Rafael qui lui souriait, bras croisés sur la poitrine, et nonchalamment appuyé au chambranle de la porte, n'avait rien de commun avec le personnage grincheux dont elle avait fait connaissance la veille.

Ce dernier n'avait pas eu l'air du tout décidé à l'accepter sous son toit.

— Pardon ? questionna-t-elle d'une voix presque inaudible, tandis qu'un espoir fragile commençait à poindre dans la brume de son esprit incrédule.

— Je dis que vous feriez mieux de rester.

— Vous êtes sérieux ?

— Absolument.

Dans le cœur de Nicky, le frêle espoir prit de la vigueur. Cependant, elle avait perdu l'habitude de croire à sa chance, et la méfiance qui avait fini par lui devenir naturelle ne tarda pas à reprendre le dessus.

Que signifiait une telle volte-face ? Cela cachait certainement quelque chose.

— Pourquoi ? demanda-t-elle en plissant les yeux.

— Comment ça, pourquoi ?

— La nuit dernière, il m'a semblé que je n'étais pas la bienvenue.

— Vous veniez pratiquement de me fendre le crâne. Je n'étais pas d'humeur très hospitalière.

Nicky pencha la tête de côté, et gratifia Rafael d'un coup d'œil dubitatif.

— Et ce matin, vous l'êtes ?

— Il semblerait, oui.

— Avez-vous réussi à joindre Gaby ?

— J'ai essayé, mais sans succès.

Au moins, Rafael n'était pas au courant des raisons pour lesquelles Gaby avait incité Nicky à s'installer au *cortijo*.

Tant mieux ! Tout, plutôt que susciter la pitié d'un inconnu.

Un instant, tous deux demeurèrent silencieux.

— Alors, finit par dire Rafael, vous restez ou non ?

Nicky dévisagea avec attention son hôte pour s'assurer qu'il parlait sérieusement. Cela semblait être le cas. Dans les profondeurs abyssales de ses prunelles, couleur de lac de montagne, elle ne vit briller qu'une bienveillance que confirmait la cordialité de son sourire.

Tout ce qui comptait, après tout, c'était qu'il lui tendait une perche qu'elle aurait eu grand tort de ne pas saisir.

— Vous êtes certain que je ne vous dérangerai pas ?

— Tout à fait.

— Dans ce cas, conclut Nicky en souriant avec une spontanéité dont elle ne se croyait plus capable, je serais très heureuse de rester.

4.

Comment avait-il pu redouter que la présence de Nicky au *cortijo* soit source d'embarras ?

Tandis qu'il allumait le barbecue, Rafael se remémora les événements de la journée écoulée.

Au fond, il lui avait suffi de faire preuve de son habituel sang-froid pour ne pas laisser la moindre ambiguïté se glisser entre eux. Ce à quoi il était parvenu avec maestria.

Par exemple, lorsqu'elle était apparue sur le palier le matin même, avait-il été bouleversé par son éblouissante beauté ?

Pas le moins du monde !

Il était demeuré impassible. Aussi imperturbable que le rocher de Gibraltar !

La bouffée de chaleur qui l'avait envahi en la voyant traîner derrière elle sa lourde valise n'était due qu'à la température étonnamment élevée de l'Andalousie au mois d'août, même aux premières heures du jour.

D'ailleurs, tout au long de leur conversation, son empire sur lui-même n'avait fait que croître.

Certes, lorsque le regard de Nicky s'était posé sur sa tempe, au moment où elle s'enquérait de son état, il avait presque senti ses doigts caresser ses cheveux comme la veille. Mais ce n'était là que le fruit de son imagination encore exacerbée par les vestiges d'une trop grande fatigue.

En cet instant même, il n'était pas plus que cela troublé

par la proximité de son invitée, assise à la table en fer forgé, sur la terrasse.

Et peu lui importait qu'elle arbore une robe bain de soleil dont le décolleté était aussi vertigineux que le défilé où il avait coutume de pratiquer l'escalade. Quant aux fragrances qui venaient lui flatter les narines — et lui rappelaient les événements de la soirée précédente —, elles le laissaient de glace !

Oui, il faisait preuve de la plus parfaite maîtrise de lui-même, se félicita-t-il intérieurement, tout en retournant les steaks sur le barbecue.

La longue tournée d'inspection de ses vignobles, qu'il avait effectuée avec son régisseur — ce qui était une nécessité trop longtemps négligée, et n'avait rien à voir avec un éventuel désir d'éviter Nicky — l'avait aidé à oublier les égarements de son esprit troublé.

Désormais, il avait retrouvé toute sa tête.

Décidément, Rafael Montero était le plus bel homme que Nicky avait croisé depuis longtemps, se dit-elle en le suivant du regard tandis qu'il s'affairait avec aisance autour du barbecue.

La veille, et le matin même, elle avait été en proie à trop d'émotions contradictoires pour apprécier sa beauté virile à sa juste valeur.

De toute façon, après l'avoir convaincue de rester, il avait disparu pour la journée entière, et elle n'avait plus pensé à lui.

Néanmoins, grâce aux longues heures passées à lire au bord de la piscine, elle se sentait plus détendue et plus réceptive à ce qui l'entourait qu'elle ne l'avait été depuis des mois. Et, tout à coup, le charme de Rafael lui apparaissait dans toute son évidence.

Elle prit une gorgée de vin, laissant son regard s'attarder

sur sa haute silhouette avec l'objectivité de la photographe qu'elle était.

A côté de lui, et bien qu'elle ne mesure pas loin d'un mètre soixante-dix, Nicky se sentait étonnamment petite.

Dans ses cheveux bruns, aux boucles drues, il était tentant de glisser ses doigts. Quant à son impressionnante carrure, elle semblait faite pour supporter même les charges les plus lourdes. Son large dos, à la puissante musculature, bougeait avec souplesse sous le T-shirt qui le moulait étroitement.

Elle laissa son regard errer sur sa taille étroite, ses fesses fermes et ses longues jambes bronzées. Il émanait de lui une impression de force contenue, d'énergie maîtrisée, et Nicky se remémora soudain le poids de ce corps sur le sien...

Quel dommage qu'elle soit désormais incapable d'éprouver la moindre attirance pour le sexe opposé ! se désola-t-elle, en contemplant Rafael qui lui faisait maintenant face.

Franchement, cet homme était splendide !

Si seulement elle l'avait rencontré un an plus tôt...

Certes, elle n'avait jamais été du genre à enchaîner les liaisons. Cependant, elle avait toujours pris plaisir à avoir des relations avec des hommes qu'elle admirait et respectait, mais qu'elle quittait lorsque le temps était venu, sans risque d'en avoir le cœur brisé. Sa vie aventureuse ne lui laissait pas le loisir de s'attacher.

Aussi, si elle avait rencontré Rafael ne serait-ce qu'une année auparavant, elle n'aurait pas hésité à entamer avec lui un flirt qui aurait pu déboucher sur quelque chose de très agréable.

Aujourd'hui, une telle perspective la laissait de glace.

Elle avait beau avoir conscience de la perfection de son corps, et de la splendeur de son visage, il ne lui faisait aucun effet. Ce qui était diablement désespérant, car si un homme comme lui ne lui faisait pas battre le cœur un peu plus vite, on pouvait se demander qui y parviendrait.

Nicky réprima un soupir et porta une nouvelle fois le verre à ses lèvres.

— Vous avez fini ?

La question lancée d'un ton sec la fit sursauter. Elle s'étouffa et toussa. Cependant, c'était plutôt la honte qui la fit rougir. D'accord, elle n'éprouvait rien pour Rafael, mais il n'en était pas moins humiliant d'avoir été surprise à lorgner sa séduisante plastique.

— Oui. Dé…, désolée, hoqueta-t-elle en se frappant la poitrine avec le poing.

— Ça va ?

— Oui. J'ai juste avalé de travers.

Rafael saisit un saladier sur la table à côté du barbecue et vint le poser devant Nicky.

— Prenez donc une crevette, dit-il.

Ce n'était peut-être pas la meilleure chose à faire alors qu'elle parvenait à peine à reprendre sa respiration, songea Nicky, mais elle obtempéra.

— Merci, répondit-elle, avant d'en tremper une dans un bol d'aïoli et de mordre dedans.

Elle écarquilla les yeux de ravissement, lorsque toutes les saveurs de la mer explosèrent sur sa langue.

— Oh ! s'exclama-t-elle, c'est absolument délicieux !

— On les pêche dans le coin, commenta Rafael.

A voir ses mâchoires serrées, et la manière dont il fixait sa bouche, Nicky se demanda si elle avait dit une bêtise. Ou bien, peut-être avait-elle un peu d'aïoli au coin de la lèvre ?

Mais Rafael sembla se secouer, et vint s'asseoir en face d'elle.

— Comment s'est passée votre journée ? questionna-t-il d'un ton qui parut étonnamment brusque à Nicky.

— Très bien, répondit-elle en attrapant une serviette en papier pour s'essuyer les doigts.

Par précaution, elle tapota aussi sa lèvre.

Sans doute avait-elle imaginé la légère tension qu'elle

avait cru percevoir chez Rafael. Franchement, qu'est-ce qui aurait pu justifier sa nervosité ?

— Cela ne me ressemble pas beaucoup d'être aussi pâle en plein été, reprit-elle. Aussi ai-je décidé qu'il était temps que je prenne quelques couleurs. J'ai passé la journée en Bikini au bord de la piscine.

Un muscle tressaillit le long de la mâchoire de Rafael, et Nicky eut l'impression de l'entendre grincer des dents.

— Formidable ! marmonna-t-il.

Lui en voulait-il d'accaparer sa piscine ? s'inquiéta Nicky.

— Cela vous ennuie que je monopolise la piscine ? questionna-t-elle.

— Pas le moins du monde. Faites comme chez vous.

— Merci.

Après tout, mieux valait ne pas chercher à comprendre les raisons de cette étrange tension, et s'en tenir à un bavardage anodin, se dit Nicky.

— Et vous, lança-t-elle, à quoi avez-vous consacré votre journée ?

— A envisager les prochaines vendanges avec mon régisseur.

— J'imagine que vous devez avoir pas mal de problèmes à régler. Gaby m'a dit que vous n'étiez pas souvent venu au domaine, ces derniers temps.

— C'est vrai. J'étais très occupé.

— Et vous l'êtes moins ?

— Pour l'instant.

— Alors, vous aussi vous êtes en vacances ?

A peine les mots avaient-ils franchi ses lèvres que Nicky regretta d'avoir abordé le sujet. Penché au-dessus de la table, Rafael la fixait avec une telle intensité qu'elle se prit à redouter ce qui allait suivre.

— D'une certaine façon, répondit-il. Et, puisque vous parlez de vacances…

Il s'interrompit, et les craintes de Nicky s'accrurent en voyant son regard d'un vert saisissant se vriller au sien.

— Je m'étonne que vous passiez les vôtres dans une telle solitude, reprit-il.

Nicky se contraignit à respirer lentement avant de répondre. Inutile, songea-t-elle, qu'il la sente sur la défensive. Cela aurait risqué de piquer au vif sa curiosité.

— J'avais besoin de repos, avança-t-elle en matière d'explication.

— Pourquoi ? Que faites-vous dans la vie ?

— Je suis reporter-photographe.

— Et avez-vous des sujets de prédilection ?

Pour l'instant, songea Nicky, ce n'était pas vraiment le cas. Elle préféra évoquer l'époque où elle n'en était pas encore réduite à attendre qu'on lui propose du travail.

— Oui, je me spécialise dans les reportages ayant un intérêt humain. Les conflits. Les catastrophes naturelles. Les manifestations. Ce genre de choses...

— Cela n'est pas dangereux ?

Un frisson secoua Nicky au souvenir de l'incident qui avait causé le traumatisme qu'elle s'efforçait de surmonter.

— Parfois.

— Alors, pourquoi faire ce métier ?

— Parce que j'aime ça. J'aime l'idée de fixer pour l'éternité ce qui ne dure qu'une fraction de seconde. Un regard. Une expression. L'état d'esprit d'une foule...

Rafael cessa de la dévisager pour prendre à son tour une crevette qu'il engloutit en une seule bouchée.

— Comment avez-vous débuté dans cette carrière ? poursuivit-il.

Délivrée de l'emprise de ce regard qui semblait fouiller en elle, Nicky reprit son souffle.

— A dix ans, j'ai gagné un concours de photo, dont le prix était un appareil Reflex dernier cri. C'est devenu ce que je possédais de plus cher. Je l'emportais partout, et je passais des heures à attendre la bonne lumière, à faire poser mon entourage. Ensuite, j'ai fait une école de photojournalisme et j'ai décroché mes premiers contrats.

Enfin, il m'a fallu pas mal de travail, et plusieurs années avant d'être reconnue.

— C'est fascinant !

Nicky ouvrit de grands yeux.

— Vraiment ?

Il y avait bien longtemps que la fascination n'opérait plus sur elle.

— Oui. En tout cas, pour un banal homme d'affaires comme moi.

— A en croire ce que l'on m'a dit, le terme « banal » n'est pas le plus approprié vous concernant.

Rafael s'apprêtait à boire, mais il suspendit son geste.

— Et que vous a-t-on dit ?

Pour un peu, Nicky se serait tortillée comme une gamine penaude sous ce regard implacable. Elle se ressaisit.

Etant donné qu'elle était la voisine de Gaby depuis deux ans, et son amie intime depuis toute l'année passée, elle avait eu le temps d'apprendre pas mal de choses au sujet de Rafael.

Gaby ne cessait de proclamer à quel point son frère était brillant dans tout ce qu'il entreprenait. A l'entendre, rien ne lui résistait : ni les femmes ni ses concurrents en affaires.

A trente-deux ans, spécialisé dans le sauvetage des entreprises en difficulté, il était un bourreau de travail, méticuleux et infatigable. Il avait été brièvement marié, et son mariage s'était révélé désastreux.

Au grand désespoir de Gaby et de ses sœurs, il semblait se refuser obstinément à employer ses talents de négociateur ailleurs que dans le domaine professionnel, et se gardait bien d'intervenir dans les conflits familiaux.

Bien sûr, il était hors de question que Nicky révèle une connaissance aussi approfondie de la personnalité de l'homme assis en face d'elle.

Pour sa part, elle n'aurait pas hésité à faire embastiller

quiconque en aurait su autant à son sujet, au motif d'atteinte à sa vie privée !

Elle préféra éluder la question.

— Oh ! pas grand-chose…

— Ah bon ? Gaby ne vous a pas parlé de moi plus que ça ?

L'étonnement qu'il manifestait à cette idée était presque touchant, et Nicky ne put s'empêcher de sourire.

— Je ne dis pas qu'elle ne vous cite pas à l'occasion.

Rafael esquissa une grimace dubitative.

— J'espère qu'elle ne dit pas trop de mal de moi.

— Bien au contraire !

— Mais encore ?

Bon, elle allait devoir résumer, se dit Nicky. Et éviter de donner l'impression qu'elle connaissait des détails un peu indiscrets. De toute façon, l'important c'était que la conversation ne revienne pas sur elle-même.

— Eh bien, que vous êtes quelqu'un de très dynamique, et de très exigeant, autant en amour qu'en affaires. Que vous êtes très doué pour résoudre les problèmes épineux. Que vous enchaînez les succès, sur tous les plans. Ah oui, et aussi que vous êtes divorcé…

Rafael grimaça, et Nicky se demanda tout à coup ce qui avait bien pu ne pas marcher dans son couple.

— Ce qui signifie peut-être que tout ne me réussit pas aussi bien que cela. En tout cas, lorsqu'il s'agit de mes relations avec les femmes.

Nicky ne put qu'acquiescer, avec un petit haussement d'épaules.

Ils se connaissaient bien trop peu pour qu'elle ose en demander davantage sur le sujet. Pourtant, elle ne pouvait s'empêcher d'être titillée par la curiosité.

— Gaby a été bien bavarde, déclara Rafael d'un ton sévère, en faisant rouler le pied de son verre entre ses longs doigts bruns.

— Elle vous adore. Et elle est si fière de vous !

Entendre son amie vanter les mérites de son frère, ou s'inquiéter de ses soucis, avait souvent rendu Nicky un peu jalouse. Une telle complicité la renvoyait à sa situation de fille unique.

— Cela doit être agréable d'avoir des frères et sœurs, remarqua-t-elle, l'air pensif, tandis que l'image d'une famille nombreuse lui traversait l'esprit.

— Vous n'en avez pas ?

— Non. Je suis fille unique.

— Quelle chance vous avez !

Rafael se leva pour aller retourner la viande sur le gril, et Nicky le suivit des yeux.

Certes, Gaby ne lui avait pas caché qu'il pouvait y avoir des tensions entre les sœurs et leur frère, mais l'impression dominante était qu'ils étaient unis par une profonde affection.

— Vraiment ? interrogea-t-elle.

Elle entendit Rafael soupirer.

— Non, dit-il sans se retourner. J'exagère. J'adore mes sœurs. Sauf quand elles se mettent en tête de me harceler.

— Cela arrive souvent ?

Il revint s'asseoir, et prit une gorgée de vin.

— Bien trop souvent à mon goût. Ce qui me pousse parfois à me réfugier ici. Comme hier.

Nicky eut soudain envie de rentrer sous terre.

— J'imagine que vous espériez trouver ici un peu de paix et de tranquillité, dit-elle d'une petite voix.

— C'est tout à fait cela. Jusqu'au moment où j'ai été sauvagement attaqué avec un exemplaire illustré de *Don Quichotte*.

Lui était-il déjà arrivé de sentir une rougeur aussi cuisante lui monter aux joues ? se demanda Nicky.

— Je…, je suis navrée de ce qu'il s'est passé, bredouilla-t-elle.

— Ne vous inquiétez pas. C'était beaucoup moins

traumatisant que d'affronter les offensives successives d'une mère, trois sœurs, et une ex-petite amie.

Il s'en fallut de peu que Nicky ne lève les yeux au ciel. Si telle était la conception d'un traumatisme pour Rafael, que dirait-il s'il avait eu à subir les abominables effets d'un accès de surmenage ?

— En effet, dit-elle sans parvenir à cacher son agacement, cela doit être très éprouvant.

— Tout au moins lorsqu'on est déjà submergé de travail.

En voyant que Rafael avait perçu son ironie, Nicky se reprocha son intolérance. Après tout, chacun avait ses problèmes, et elle aurait tort de prétendre que les siens étaient pires que ceux de son interlocuteur.

— Est-ce que vos sœurs se liguent fréquemment contre vous ? s'enquit-elle.

— Pas depuis qu'à huit ans, horripilé par leurs tracasseries, j'ai décidé que j'y serais dorénavant imperméable. Je me suis caché dans un arbre au fond du jardin pendant plusieurs heures. A partir de là, je n'ai plus réagi à leurs brimades, et elles ont vite cessé de m'importuner.

Il avait confié cela sur un ton désinvolte, mais Nicky avait vu la mâchoire de Rafael se crisper. Curieusement, elle éprouva un pincement au cœur, en imaginant le petit garçon en butte aux moqueries de ses sœurs.

— Ingénieux, observa-t-elle.

— C'était moins de la subtilité qu'un instinct de conservation. En tout cas, cela a fonctionné puisque maintenant nous nous entendons plutôt bien.

Il gratifia Nicky d'un sourire qui la rassura. Cependant, elle n'osa pas demander si, par la suite, il avait adopté la même stratégie chaque fois qu'il devait affronter une difficulté. Mieux valait aborder des sujets moins personnels.

— En quoi consiste exactement votre profession ? questionna-t-elle en jouant avec son verre.

— Les entreprises font appel à moi lorsqu'elles sont confrontées à des problèmes de fonctionnement. Cela peut aller d'un conflit entre la direction et le personnel à une fusion délicate. Je vais où l'on a besoin de moi, et je repars quand tout est rentré dans l'ordre.

— Et vous arrive-t-il de mettre vos talents au service de vos proches ?

Rafael fut secoué d'un frisson.

— Jamais ! Il serait trop… difficile d'empêcher que les émotions ne s'en mêlent.

Il suffisait de voir la façon dont il avait tressailli en disant cela, pour être persuadé qu'il devait fuir comme la peste tout excès d'affectivité.

— Même avec vos sœurs ? insista Nicky.

— *Surtout* avec mes sœurs. Je me garde même de leur prodiguer le moindre conseil. Cela ne pourrait être qu'une source d'ennuis. D'ailleurs, elles ont compris qu'il ne fallait pas attendre cela de ma part.

Une nouvelle fois, il se leva pour aller surveiller la cuisson de la viande.

Nicky se remémora les nombreuses fois où Gaby avait exprimé son regret de ne pas trouver plus de soutien auprès de son frère.

— Je ne sais pas ce qu'il en est des autres, dit-elle, mais je suis certaine que Gaby ne détesterait pas que vous lui donniez parfois votre avis sur ce qui la concerne.

Par-dessus son épaule, Rafael lui décocha un sourire pincé.

— Gaby est la pire des trois ! Il y a quelques années, je me suis risqué à intervenir dans sa vie. A sa demande expresse, croyez-le bien. Elle n'a tenu aucun compte de mon point de vue. Ce qui ne l'a pas empêchée de m'en vouloir quand les choses ont mal tourné.

C'était là quelque chose que Gaby s'était bien gardée de raconter !

— Oh ! Et que s'était-il passé ?

— Vous lui demanderez. Cela fait longtemps que vous la connaissez ?

Il revint vers la table, et leur versa un verre de vin à chacun.

— Deux ans. Nous sommes voisines de palier, à Paris. C'est là que je réside habituellement, parce que les opportunités professionnelles y sont plus nombreuses qu'ailleurs.

— Mais vous êtes de nationalité britannique, non ?

— C'est vrai. Cela dit, je me considère plutôt comme une citoyenne du monde.

— Seriez-vous de ces gens qui n'ont pas de racines ?

La tête penchée, Nicky réfléchit un moment à la question. Elle ne se l'était jamais posée jusque-là, mais Rafael n'avait pas tout à fait tort. Du plus loin qu'elle s'en souvienne, elle avait mené une vie d'errance.

Enfant, elle avait suivi ses parents dans leurs nombreuses pérégrinations. Depuis, elle ne s'était jamais fixée où que ce soit. Son appartement, au décor minimaliste, était en location. Elle ne faisait qu'y passer.

La seule chose qui avait une certaine permanence dans sa vie, c'était la valise qu'elle avait traînée avec elle au cours des dix années passées. Cabossée, couverte de tampons et d'étiquettes des divers pays traversés, elle tenait néanmoins encore le coup. Un peu comme elle-même, après tout.

— Peut-être bien, répondit-elle après quelques instants de réflexion. Mais j'en suis tout à fait satisfaite.

Voilà au moins une composante de sa personnalité que les événements des derniers six mois n'avaient pas réussi à altérer.

— Vraiment ?

— Oui. J'ai des fourmis dans les jambes dès que je reste fixée quelque part trop longtemps. Quant à la perspective de m'installer où que ce soit…

Nicky frissonna.

— Je suis certaine que j'étoufferais, conclut-elle.

— D'où vous vient cette bougeotte ?

— De mon éducation, j'imagine. Mes parents sont

anthropologues. Ils passent leur vie à aller enquêter sur des tribus isolées au bout du monde. Je les ai très souvent accompagnés. D'ailleurs, la photo qui m'a permis de gagner le concours dont je vous parlais était celle d'un enfant Yanomani, une tribu qui vit dans la forêt amazonienne.

— Vous avez une existence passionnante !

Haussant les épaules, Nicky songea que cela n'avait pas été vraiment le cas depuis quelque temps.

— Disons que j'ai de la chance.

Pendant quelques secondes, Rafael la dévisagea en silence avant de demander :

— Alors, comment se fait-il qu'avec une vie aussi palpitante, vous choisissiez un endroit aussi calme pour vos vacances ?

Il avait posé cette question d'une voix douce, mais la lueur dans l'insondable profondeur de ses prunelles révélait une sagacité qui mit Nicky sur ses gardes. Elle n'avait nullement l'intention que Rafael — ou qui que ce soit d'autre — en sache trop sur elle.

— Je ne vois pas ce que cela a d'étonnant, dit-elle d'un ton agacé.

— N'est-ce pas un peu trop tranquille lorsqu'on est habitué à la vie aventureuse d'un globe-trotter ?

— Vous savez, l'aventure n'est pas forcément ce que l'on imagine, répondit-elle avec un sourire qu'elle voulut jovial. Il arrive que le plus infatigable des globe-trotters ait besoin de faire une pause. C'est pourquoi je vous remercie de m'avoir offert de rester chez vous.

5.

Qu'est-ce qu'il lui avait pris d'autoriser Nicky à rester ? Avait-il perdu la tête ?

C'était la pire décision qu'il ait prise depuis longtemps.

Rafael prit une gorgée de cognac et fixa le ciel d'encre d'un regard morose.

Dire qu'il avait espéré trouver au *cortijo* la sérénité dont il avait tant besoin pour se détendre !

Eh bien, c'était raté.

Il était encore plus tendu qu'avant son arrivée. Tout cela, à cause de cette invitée inattendue, et de l'effet ravageur qu'elle avait sur lui.

Comment avait-il pu se persuader, ne serait-ce qu'une seconde, que Nicky le laissait de marbre ?

Quelle blague !

Fallait-il qu'il ait perdu tout son bon sens pour se voiler la face avec une telle obstination !

Il lui avait suffi d'un dîner pour comprendre qu'il n'avait jamais été troublé à ce point par une femme.

Comment avait-il pu, quelques heures plus tôt, se féliciter béatement de son prétendu sang-froid ? Quel abruti, doublé d'un arrogant fanfaron ! Malgré tout ce qu'il s'était efforcé de croire, il n'avait aucune prise sur ses émotions. Il avait lamentablement échoué à les maîtriser.

Le pire avait été de lui proposer ce dîner. S'il avait pu imaginer la torture à laquelle il allait être soumis, il aurait filé tout droit dans sa chambre, au retour de sa tournée du vignoble, et il n'en serait ressorti que lorsqu'il aurait eu la certitude de ne pas croiser Nicky.

Voilà à quoi l'avait conduit son orgueil démesuré. Et l'absence de la cuisinière.

Les deux heures qui venaient de s'écouler avaient été les plus inconfortables qu'il n'ait jamais connues.

Cela avait commencé par ce curieux picotement dans tout son corps, lorsqu'il avait pris conscience que le regard de Nicky était rivé sur lui pendant qu'il s'affairait à griller la viande.

En se tournant lentement vers elle pour lui faire face, il avait espéré qu'elle serait gênée et détournerait les yeux. Quelle bêtise !

Sans vergogne, elle avait continué à le détailler des pieds à la tête, de son énigmatique regard gris-bleu. Avec une nonchalance presque gourmande. Il en était resté cloué sur place, ses sens en alerte, avec l'impression que tout tournait autour de lui.

Non sans mal, il était parvenu à se reprendre. Jusqu'au moment où il avait eu la malencontreuse idée de lui proposer des crevettes. Alors là, tout s'était emballé. A la voir les déguster voluptueusement en soupirant de plaisir, tandis qu'elle continuait à lui faire la conversation, la tension qui l'habitait avait atteint une intensité douloureuse, et il avait failli être pris de vertige.

L'entendre raconter qu'elle avait passé sa journée en Bikini au bord de la piscine avait fait naître en son esprit d'affolantes images. L'estomac noué, le pouls battant à cent à l'heure, il avait senti le désir le submerger avec une puissance renouvelée qui l'avait presque terrassé, et qu'il avait été incapable de museler.

Ce dont ils avaient bien pu discuter, tandis que la soirée suivait son cours, il n'en avait pas la moindre idée. Comme envoûté par le charme étrange qui émanait de Nicky, il avait fini par ne plus prêter attention à autre chose qu'aux mouvements de ses lèvres tandis qu'elle lui parlait, aux reflets auburn que le flamboiement des bougies mettait dans sa chevelure, et à son curieux sourire teinté de mélancolie.

Dieu merci, elle avait fini par déclarer qu'il était grand temps qu'elle regagne sa chambre ! A l'instant précis où Rafael commençait à redouter de ne plus pouvoir demeurer maître de lui très longtemps.

C'était à n'y rien comprendre ! Cela faisait à peine vingt-quatre heures qu'il connaissait Nicky. Comment était-il possible que les choses en soient arrivées là ? A quel moment avait-elle envahi ainsi son esprit ? Et comment allait-il faire pour l'en chasser ? Car il n'était pas question qu'elle s'y incruste !

Il sortait à peine d'une histoire désastreuse, ce n'était pas pour se relancer aussitôt dans toutes les complications d'une nouvelle liaison. De toute façon, il était évident que Nicky n'était nullement attirée par lui.

Reposant son verre vide sur la table, Rafael laissa échapper un grognement de frustration.

Il avait assez d'expérience pour reconnaître les signes de l'attirance physique, et Nicky n'en avait montré aucun.

D'ailleurs, pourquoi en concevait-il un tel dépit ? Il n'était plus un adolescent soumis à la tyrannie de ses hormones. A trente-deux ans, il était un adulte raisonnable, et cela n'aurait dû lui faire ni chaud ni froid.

Bon sang, qu'est-ce qu'il lui arrivait ? Et comment diable allait-il se tirer de ce guêpier ?

Un petit peu plus de cognac l'aiderait peut-être à y voir plus clair…

Rafael avançait la main vers la bouteille lorsqu'un hurlement strident déchira le calme de la nuit, l'arrêtant dans son geste.

Son cœur fit une embardée. Transpercé par une décharge d'adrénaline, il bondit sur ses pieds.

Que faire ?

Foncer à l'étage. Se précipiter dans la chambre de Nicky. Voir si elle allait bien.

Peut-être allait-il comprendre enfin quel était son problème ? Et ce qu'elle faisait, seule, dans ce coin reculé d'Andalousie.

Mais au moment de s'élancer, il se figea. Sa raison prit le dessus sur son instinct.

Seigneur, à quoi pensait-il ? Oubliait-il qu'il n'était pas dans ses habitudes de courir au secours des belles éplorées ?

Quels que puissent être les problèmes de Nicky, il n'en avait cure ! Et il ne se souciait pas davantage de savoir ce qui lui avait arraché un tel hurlement.

Il se passa nerveusement la main dans les cheveux et jura à voix basse. Lorsqu'il avait confié à Nicky qu'il se refusait à mettre son nez dans les affaires d'autrui, c'était l'entière vérité. Certes, sa mère n'avait cessé de lui répéter qu'en tant que seul mâle de la fratrie, il se devait d'endosser la responsabilité de protéger ses sœurs. Néanmoins, ces dernières n'avaient jamais manifesté le besoin qu'il prenne soin d'elles de quelque manière que ce soit.

Quant à ses conquêtes féminines — hormis la dernière en date — il avait toujours pensé qu'elles faisaient preuve d'une résistance bien supérieure à celle des hommes de son entourage. De plus, il avait bien souvent constaté qu'elles détestaient que l'on vienne à leur secours lorsqu'elles étaient confrontées à une quelconque difficulté.

S'obligeant à faire taire en lui les quelques vestiges d'inquiétude qui auraient pu le pousser à suivre son instinct, et à aller vérifier que Nicky allait bien, Rafael se rassit.

C'était probablement un simple cauchemar qui l'avait tourmentée.

Quels que soient ses soucis, il ne lui appartenait pas de s'en mêler. A en juger par la façon dont elle était sur la défensive dès qu'il l'interrogeait sur sa vie, il ne doutait pas qu'elle refuse catégoriquement son aide.

Mieux valait la laisser tranquille.

D'ailleurs, il était certain qu'il aurait oublié tout ça dès le lendemain.

Il se resservit un verre de cognac, en songeant que le plus important pour lui était d'accorder toute son attention à la gestion de son vignoble.

Nicky se réveilla en sursaut, une seconde seulement avant que sa tête ne vienne heurter le macadam.

Comme chaque fois.

De nouveau, elle s'était retrouvée prisonnière d'une foule compacte et colorée, dont les bruyantes exclamations l'assourdissaient, et dont l'attitude menaçante l'emplissait de frayeur.

Une fois de plus, elle avait senti qu'elle perdait l'équilibre, et avait lutté pour ne pas se laisser emporter par l'élan de cette masse en battant l'air de ses bras impuissants.

En vain, comme chaque fois, tant la pression de la multitude qui la cernait était irrésistible. Et elle avait revécu la chute, avec la même certitude déchirante qu'une fois au sol elle ne se relèverait plus…

Pourvu qu'elle n'ait pas crié, se dit-elle en ouvrant les yeux sur l'obscurité qui régnait dans la chambre. Le cœur battant à tout rompre, trempée de sueur, l'esprit encore assailli des terribles images qui continuaient à venir hanter son sommeil, elle se raccrocha au dérisoire espoir que, cette fois au moins, son cri n'avait pas déchiré le silence de la nuit.

Nicky n'ignorait pas que le hurlement qu'elle poussait dans la terreur du cauchemar aurait suffi à réveiller les morts. C'était en tout cas ce que disait Gaby chaque fois qu'elle venait tambouriner à sa porte pour savoir si tout allait bien.

Par conséquent, si elle avait crié cette fois-ci, Rafael aurait certainement accouru pour savoir de quoi il retournait.

Quel soulagement ! soupira-t-elle.

Il était au-dessus de ses forces d'expliquer ce qui la mettait dans cet état.

Elle se força à respirer avec calme pour que son cœur reprenne un rythme normal. Comme d'habitude, la frayeur qui la faisait encore trembler ne tarderait pas à s'estomper. Elle le savait d'expérience.

Mais elle n'en pouvait plus d'être encore et toujours la proie de ces songes effroyables qui lui faisaient revivre indéfiniment des événements survenus il y avait plusieurs mois.

Quand donc retrouverait-elle le contrôle de son psychisme ? Quand cesserait-elle d'être aussi irritable et susceptible ?

Une remarque de Rafael lui traversa l'esprit. N'avait-il pas dit qu'il refusait le droit à quiconque de tourmenter son esprit ? Eh bien, c'était ce qu'elle ferait elle aussi, dorénavant. Certes, il était difficile d'influer sur son subconscient pendant son sommeil. Mais le jour, elle avait tout à fait la possibilité de tordre le cou aux pensées négatives.

C'était ce qu'elle allait faire dès aujourd'hui.

Elle allait prendre la vie du bon côté !

6.

Rafael n'avait pas coutume d'être taraudé par la culpabilité. Mais le sentiment d'être en faute que lui inspirait son attitude de la veille ne cessait de le titiller.

Dire qu'il avait imaginé que cet incident lui serait sorti de l'esprit aux premières lueurs du jour !

Il ne parvenait pas à penser à autre chose.

D'accord, en allant se coucher, il était persuadé d'avoir agi au mieux en laissant Nicky tranquille. Il s'était même réjoui d'avoir héroïquement résisté à l'instinct qui lui dictait de se précipiter au chevet de la jeune femme.

Cependant, depuis qu'il était levé, la honte qui l'avait assailli une bonne partie de la nuit n'avait fait que s'amplifier. Il avait beau faire, rien ne la dissipait.

Toute la journée, il avait essayé de s'abrutir dans le dur labeur d'entretien du vignoble. Cela ne lui avait pas davantage fait oublier qu'il s'était comporté comme un rustre.

Il ne lui restait qu'une chose à faire, songea-t-il, en plissant les yeux, ébloui qu'il était par la blancheur des murs du *cortijo* vers lequel il se dirigeait.

Tant pis si cela signifiait enfreindre la règle qu'il s'était fixée de ne jamais se mêler des affaires des gens. Tant pis s'il prenait le risque d'ouvrir une boîte de Pandore.

Quel autre choix avait-il que de demander à Nicky, sans détours, quel était son problème ?

Aucun. Et le plus tôt serait le mieux.

Il pénétra dans le hall de la villa en se demandant où

elle pouvait bien se trouver. Certainement pas très loin. Si elle n'était pas dans la maison, elle devait…

— Rafael ?

La voix le fit sursauter. Il se tourna, et s'immobilisa d'un seul coup, avec l'impression de se vider de son sang.

Il avait vu juste : Nicky n'était pas loin. Elle était même plantée dans l'encadrement de la porte de la cuisine. Tout près de lui. Tellement près que cela en était troublant.

D'autant plus que dans son haut de maillot de bain rouge vif, et sa minijupe verte posée à la pointe de ses hanches, avec son petit nez rosi par le soleil, et ses cheveux encore humides de la baignade, elle était très attirante.

Incapable de s'en empêcher, Rafael laissa son regard errer sur les rondeurs de sa poitrine que le maillot mettait en valeur, sur sa taille fine, la courbe de ses hanches, et les longues jambes merveilleusement galbées dont il avait rêvé qu'elles se nouaient autour de sa taille.

On aurait dit une ravissante sirène.

Le désir transperça Rafael comme une décharge électrique, avec une intensité qui le mit presque à genoux.

Il ne devait pas perdre de vue son objectif, au risque de se laisser glisser sur une pente qui pourrait le mener à sa perte.

Quoiqu'il se devait d'admettre que l'instrument de cette hypothétique perte, telle qu'elle se tenait là devant lui, était très appétissant. Néanmoins, il ne doutait pas que s'il osait faire le moindre geste vers elle, cela lui vaudrait une bonne paire de claques.

Il enfonça donc les poings dans ses poches.

Avec un effort quasi surhumain, il chassa de son esprit toute image lubrique. Après tout, ce n'était pas pour raviver ses fantasmes qu'il était venu à la rencontre de Nicky.

— Qu'y a-t-il ? questionna-t-il d'un ton que la frustration rendait plus abrupt qu'il ne l'aurait souhaité.

— Je…

Nicky s'interrompit, et le dévisagea d'un air inquiet.

— Vous allez bien ? reprit-elle.

— Parfaitement. Vous aussi ?

— Moi ? On ne saurait aller mieux !

Rafael fronça les sourcils.

— Vous en êtes bien certaine ?

Un sourire radieux illuminant son visage, Nicky insista :

— Tout à fait. Je ne vois pas ce qui pourrait ne pas aller.

— Donc, je suppose que vous avez bien dormi.

Pendant un très bref instant, Rafael eut l'impression que le sourire de la jeune femme se faisait moins affirmé, mais ce fut si fugitif qu'il ne l'aurait pas juré.

— Oui. Je suppose que c'est grâce à tout ce bon air, et au soleil.

Avec une moue sceptique, Rafael inclina la tête. Les cernes nettement visibles sur le visage de Nicky démentaient ses propos.

— Peut-être…

— Vous n'avez pas l'air de me croire.

— Effectivement.

— Mais pourquoi donc ?

— Parce qu'en pleine nuit j'ai entendu un terrible hurlement.

Les sourcils levés, Nicky se figea. Pendant quelques secondes, le silence ne fut troublé que par le moteur d'un tracteur, sur une colline éloignée.

— Un hurlement ? Et vous avez pensé que c'était moi ? questionna-t-elle, sur un ton auquel elle s'efforçait d'insuffler une désinvolture qui ne trompait pas Rafael.

— Je ne vois pas qui d'autre cela aurait pu être.

Haussant les épaules, elle se balança d'un pied sur l'autre, l'air gêné, le regard perdu quelque part au-dessus de l'épaule de Rafael.

— Je ne sais pas… Une chouette, peut-être…

— Ne dites pas n'importe quoi ! C'était vous.

Il la vit se mordiller la lèvre, hésiter quelques secondes,

puis Nicky parut décider qu'il ne servait à rien de tourner autour du pot plus longtemps.

— J'ai fait un cauchemar. Rien de grave.

— Pourtant vous sembliez exprimer une épouvantable angoisse.

Cette fois, ce fut un sourire crispé dont elle le gratifia.

— Ecoutez, Rafael, j'apprécie votre sollicitude, mais je préfère ne pas aborder ce sujet. Ce n'était rien d'important, je vous l'assure.

Rafael dévisagea attentivement Nicky pendant quelques secondes, se demandant s'il devait insister pour obtenir une explication.

Bah, après tout, c'était elle que cela regardait ! Il ne pouvait pas la forcer à parler. Et puis, peut-être disait-elle la vérité : il n'y avait pas matière à s'inquiéter.

De toute façon, sa réaction le dédouanait. Il n'avait plus à se blâmer de ne pas s'être précipité à son secours. Elle n'aurait certainement pas apprécié son intervention !

Mais, alors qu'il aurait dû en être soulagé, il ne pouvait s'empêcher d'être froissé par sa réticence à se confier à lui.

— Comme vous voudrez, conclut-il.

C'était probablement d'avoir travaillé en plein soleil, toute la matinée, que lui venait cet étrange sentiment de malaise. Le comportement de Nicky n'aurait-il pas dû la soulager d'un poids ?

— Merci !

Le visage de la jeune femme s'éclaira d'un sourire rayonnant, qui fit de nouveau monter en Rafael une bouffée de désir.

— Vous savez que vous arrivez juste à temps, enchaîna Nicky.

A temps ? Pour quoi faire ? Succomber à son charme, et admettre sa débâcle personnelle ? La jeter sur son épaule et l'emporter jusqu'au lit le plus proche ?

— A temps pour quoi ? questionna-t-il d'une voix rauque.

Elle esquissa une petite grimace ironique.

— Pour déjeuner, bien sûr. Je ne suis pas une grande cuisinière, mais j'ai improvisé une salade avec les restes du repas d'hier soir. Accepteriez-vous de vous joindre à moi ?

« Non ! » C'est ce qu'il aurait dû répondre, s'il tenait à sa santé mentale. Néanmoins, il était mort de faim. Et le sourire de Nicky était aussi engageant que la simple perspective de se restaurer.

De plus, son esprit était en proie à une telle confusion — mélange de désir contrarié et d'un reste de honte — qu'il était incapable de réfléchir.

Alors, inventer une excuse valable, il ne fallait pas y compter !

— Bien sûr. Pourquoi pas ?

— Accordez-moi cinq minutes pour finir de tout préparer.

Inclinant la tête sur le côté, elle le considéra un instant d'un air soucieux.

— Vous ne voulez pas faire un petit plongeon dans la piscine, pendant ce temps ? On dirait que vous avez besoin de vous rafraîchir.

Elle retourna dans la cuisine d'un pas nonchalant. La suivant du regard, Rafael flirta un instant avec la tentation d'aller se cogner la tête contre un mur. Pour aussi insensée que cette idée puisse paraître, elle reflétait parfaitement son état mental. Au lieu de quoi, il se contenta de glisser les deux mains dans ses cheveux en se traitant d'imbécile.

C'était à croire que le soleil avait effectivement eu des effets dévastateurs sur ses neurones ! Qu'il le veuille ou non, Nicky était en train de lui faire perdre la raison. Le pire, c'était qu'il ne voyait pas comment se sortir de ce traquenard.

Piquer une tête dans la piscine n'était peut-être pas une si mauvaise idée, après tout ? L'eau fraîche aurait le même effet sur lui qu'une douche glacée. Avec un peu de chance, cela lui remettrait les idées en place, et lui permettrait de trouver la solution à tous ses problèmes.

Rafael s'engagea dans l'escalier pour aller enfiler un maillot de bain.

Il fallait qu'il trouve une solution. De toute urgence. Certes, il avait réglé la question de son absence de réaction au hurlement poussé par Nicky dans la nuit. Mais il était toujours aussi torturé par le désir inassouvi qu'elle lui inspirait. S'il n'y trouvait pas un remède, il allait finir par en subir les conséquences néfastes.

Mais que faire ?

Les sourcils froncés, il commença à envisager les diverses options qui s'offraient à lui, tout en jetant une serviette de bain sur son épaule, avant de regagner le rez-de-chaussée.

Mieux valait éviter la cuisine et les dangers qu'elle recelait, se dit-il en traversant le patio pour rejoindre le sentier qui menait à la piscine.

Jetant la serviette sur une chaise longue, il se planta sur le bord du bassin, en se désolant de ne pas voir le début d'une solution à son problème. Puis il plongea.

L'eau, presque glacée, le rafraîchit agréablement.

Peut-être ferait-il mieux de demander à Nicky de partir ? se dit-il en traversant le bassin d'un crawl énergique. A moins qu'il ne se décide à quitter les lieux lui-même. Cela dit, il était chez lui...

Et s'il était en train de prendre le problème par le mauvais bout ?

Il se hissa sur le bord de la piscine et se frotta les yeux pour en chasser l'eau. C'était comme s'il venait d'entrevoir une lueur au bout du tunnel.

Bon sang ! C'était bel et bien vrai. Il faisait totalement fausse route. Et comment en aurait-il été autrement ? Il essayait de régler un problème sans avoir tous les éléments en main.

Tout ce qu'il savait, c'était que lui-même était dévoré

d'un désir ardent pour Nicky. Mais avait-il la moindre idée de ce qu'elle ressentait pour lui ? Non. Qui disait qu'elle n'était pas taraudée par le même besoin inassouvi que celui qu'il éprouvait ?

D'accord, elle n'avait rien montré qui puisse le laisser penser. Cependant, il était presque certain de ne pas l'avoir fait davantage. Pour autant qu'il soit en mesure d'en juger, rien ne permettait de dire que Nicky n'était pas dans une situation identique à la sienne. Aussi troublée que lui. Et aussi perplexe qu'il l'était sur la tactique à adopter.

De plus, ne l'avait-il pas surprise à lorgner effrontément sa musculature, pas plus tard que la veille au soir ?

Oui. En matière de stratégie, il allait falloir qu'il se montre plus clair.

C'était à lui de faire les premiers pas !

Eh bien, il était peu de dire que sa nouvelle stratégie n'avait pas porté ses fruits !

A part se jeter sur Nicky et l'embrasser éperdument, on pouvait dire qu'il avait tout tenté.

Rafael rumina son échec, en se retenant de grincer des dents.

Pendant le déjeuner, il avait déployé tout son arsenal de séduction. C'était bien la première fois qu'il lui fallait fournir autant d'efforts pour faire une conquête.

Il n'avait pas lésiné !

Il s'était confondu en compliments sur la salade promise — qui n'était d'ailleurs pas aussi ratée que Nicky voulait bien le dire.

Puis il s'était montré aussi prévenant que possible. Bien qu'elle ne l'ait guère encouragé dans ce sens, il l'avait bombardée de questions diverses sur sa vie et son métier. Lui-même avait répondu, sans la moindre réticence, à ses multiples interrogations.

Lorsqu'elle avait montré d'une évidente curiosité à son

égard, Rafael avait redoublé de sourires ravageurs et fait assaut de charme. Il avait même pris la précaution de ne pas enfiler son T-shirt en revenant de la baignade, afin de lui laisser l'occasion de contempler son torse nu. Si c'était ce qu'elle appréciait…

Est-ce que tout cela avait été suivi du moindre effet ? Nullement !

Au grand désespoir de Rafael, Nicky n'avait pas paru le moins du monde émue par sa plastique, et était demeurée insensible à ses sourires.

Elle avait même eu le culot de lui demander s'il se sentait bien !

Pour l'instant, la belle indifférente était installée sur une chaise longue, au bord de la piscine, et tartinait de crème solaire les jambes qui ne cessaient de hanter les rêves de Rafael.

Si elle ne cessait pas, il allait y perdre le peu de santé mentale qui lui restait. Incapable de s'arracher à ce spectacle, il eut la vision soudaine de ces douces mains courant sur son corps, caressant chaque parcelle de sa peau, et sentit tous ses muscles se contracter.

Afin de chasser le désir qui le faisait vibrer des pieds à la tête, il attrapa la bouteille d'eau posée sur la table du déjeuner et entreprit d'arracher méthodiquement l'étiquette.

Bon sang, pourquoi Nicky demeurait-elle imperméable à son charme ? A en croire ses conquêtes, il était plutôt bien fait de sa personne.

Alors, qu'est-ce qui n'allait pas chez cette femme ?

Rafael acheva d'arracher l'étiquette, et se morigéna. Il ne devait pas se laisser aller à ce genre de réflexion. C'était juste de l'arrogance, et de la susceptibilité mal placée !

Avec un grognement irrité, Rafael reposa la bouteille, et prit son verre qu'il porta à ses lèvres.

— Cela vous ennuierait de me mettre de la crème dans le dos ?

Rafael sursauta, et manqua s'étrangler. Il toussa, et déglutit avec peine.

Puis, au fur à mesure que le sens exact de ce qu'il venait d'entendre pénétrait son niveau de conscience, il sentit le sang battre à ses tempes ; son cœur bondit si violemment dans sa poitrine qu'il craignit de perdre connaissance.

Seigneur ! Avait-elle résolu d'avoir sa peau ?

Le simple fait d'imaginer qu'il posait les mains sur Nicky suffisait à lui faire perdre les pédales. Alors, qu'en serait-il s'il passait aux actes ? Ce qu'il allait être obligé de faire.

Avait-il d'autre choix que de souscrire à sa demande ?

L'enduire de crème risquait fort d'anéantir les derniers vestiges de son sang-froid. Cependant, il se voyait mal refuser.

Prenant une profonde inspiration, Rafael s'efforça de rassembler le peu de flegme qu'il lui restait.

Imagine que Nicky est juste une de tes sœurs, et tout ira bien, se dit-il.

Ce n'étaient pas les occasions de les tartiner de crème solaire qui lui avaient manqué !

— Pas du tout, marmonna-t-il en se levant et rajustant son short afin de dissimuler les effets par trop visibles de son émoi.

Pense à des glaçons ! s'ordonna-t-il. *A des igloos !*

Au comble du malaise, il vint s'agenouiller près de Nicky et lui prit le flacon des mains, en se retenant pour ne pas sursauter lorsque leurs doigts se frôlèrent.

— Merci, dit Nicky avec un grand sourire.

Quel ne fut pas le saisissement de Rafael lorsqu'elle s'allongea sur le ventre, et dégrafa le soutien-gorge de son maillot de bain !

Tout va bien ! se contraignit-il à penser, en serrant si fort les mâchoires qu'elles auraient pu se briser.

Ce n'était jamais qu'un dos comme un autre ! D'accord, il était long, et lisse, mais qu'importe ! Quant à ce charmant postérieur, et ces jambes fuselées, qu'avaient-ils de si extraordinaire ?

A dire vrai, ils étaient tout simplement parfaits. Comme toute sa personne.

Rafael prit une profonde inspiration, puis expira très lentement pour se préparer à ce qui allait venir.

Inutile d'essayer de se convaincre que Nicky aurait pu être sa sœur. Ça ne marchait pas. Quant aux images de glaçons, ou même d'igloos, elles lui faisaient autant d'effet qu'un emplâtre sur une jambe de bois.

Tant qu'il y était, il pouvait bien s'imaginer courir en caleçon de bain dans les immensités glacées du pôle.

Cela serait peut-être plus efficace.

Sauf qu'il suffit que ses doigts effleurent les épaules de Nicky pour que la glace fonde inexorablement. Sous ses paumes, la douce chaleur de cette peau de satin lui fit tout oublier, hormis ce contact voluptueux. Et le parfum entêtant de la lotion qu'il y appliquait.

Le spectacle fascinant de cette chair dénudée, et les petits gémissements de plaisir qui montaient de la gorge de Nicky, le mettaient au supplice.

L'envie irrépressible de poser sa bouche sur son dos, d'en goûter la saveur, le cloua sur place.

Au bord du vertige, envahi par une sensation de chaleur intense, il ne put retenir un grognement sourd.

Ce fut ce son rauque, presque fiévreux, qui l'arracha au tourbillon de sensualité dans lequel il se perdait, et le ramena à la réalité. Il se redressa d'un seul coup, écartant les mains du dos de Nicky pour les passer nerveusement dans ses cheveux, sans se soucier qu'elles soient couvertes de crème.

Seigneur ! Qu'était-il en train de faire ? A quoi pensait-il ? Avait-il perdu la tête ?

Pourvu que Nicky n'ait rien entendu !

Apparemment, ce n'était pas le cas.

Il la vit se raidir, et retenir son souffle un instant.

— Rafael ? murmura-t-elle, d'une voix somnolente. Tout va bien ?

— Oui. Pourquoi ?

— Je vous ai entendu soupirer. Profondément.

— Ça va bien.

Nicky tourna la tête, lui lançant un coup d'œil perplexe.

— Vous êtes sûr ? On ne dirait pas. Vous avez l'air furieux.

— Je réfléchissais, c'est tout.

Il était plus que temps qu'il se ressaisisse, se sermonna Rafael .

Sinon, tout ce désir et ce besoin insatisfaits, cette tension accumulée, cette douloureuse frustration allaient se rompre comme une corde trop tendue. Alors, il ne répondrait plus de rien. Qui sait s'il ne perdrait pas les pédales au point de la retourner sur le dos, leur arracher leurs vêtements à tous deux, et la posséder sauvagement ?

Nicky haussa les sourcils.

— Et à quoi donc pensiez-vous ?

— A rien d'important, lâcha-t-il d'un ton sec, tout en se relevant. J'ai fini.

Se tortillant pour remettre en place son soutien-gorge, Nicky se redressa et s'assit.

— Merci, dit-elle en le dévisageant. A voir votre expression, on pourrait croire que ce qui occupait vos pensées vous met dans un drôle d'état, au contraire. Vous avez l'air d'être prêt à réduire en pièces tout ce qui vous tombera sous la main.

Comme ce Bikini, par exemple ? La vision de Nicky ondulant sous lui, tandis qu'il arracherait ces deux bouts de cotonnade rouge, s'imprima dans son esprit avec une telle intensité que Rafael en eut le souffle coupé.

Combien de temps faudrait-il avant que la force de la passion ne jette à bas les fragiles murailles qu'il avait érigées pour la contenir ?

— Ce sont juste des soucis d'ordre professionnel,

dit-il en reculant d'un pas mal assuré, car il lui devenait indispensable de s'éloigner.

— Est-ce que je peux faire quelque chose pour vous ?

Oh ! oui ! Certaines choses bien précises…

— Non.

— D'accord.

Les sourcils froncés, Nicky se mordilla la lèvre, comme elle en avait l'habitude. Voir ses dents se refermer sur cette chair pulpeuse fut plus que Rafael n'en pouvait supporter. Le brasier qu'il cherchait désespérément à étouffer explosa en un flamboiement ardent qui consuma toutes ses velléités de résistance.

Au diable la prudence et les tergiversations !

Il pensait avoir exprimé ses sentiments, mais il semblait qu'il n'ait pas été assez clair. De plus, qu'avait-il à perdre ? Son sang-froid était en loques. Sa raison n'était plus qu'un vague souvenir. Il pouvait bien risquer une paire de gifles. Cela ne serait pas plus dévastateur pour son ego que ce que Nicky lui avait déjà fait endurer. Peu lui importait de laisser libre cours à sa folie.

— Vous voulez *vraiment* savoir quel est mon problème ? grommela-t-il.

Nicky opina.

— Bien sûr.

Se penchant vers elle, Rafael referma les mains sur ses bras, et la mit debout.

— Eh bien, mon problème, c'est *ça* !

Et sans tenir compte de son expression horrifiée, il l'attira à lui.

Il glissa une main dans l'épaisseur de ses boucles soyeuses, appuya l'autre au creux de ses reins puis, sans lui laisser le temps de réagir, il écrasa sa bouche sur la sienne. Le désir courut dans ses veines comme de la lave en fusion, et il sentit un incendie s'allumer au tréfonds de son être, tandis qu'il glissait sa langue entre les lèvres de Nicky. C'était aussi délicieux qu'il l'avait imaginé. Sa bouche avait un goût de miel. Un goût de paradis. Son corps souple épousait le sien comme si elle avait été faite exactement pour lui.

Rafael laissa échapper un gémissement sourd, et serra Nicky plus étroitement, lui inclinant la tête pour mieux explorer sa bouche.

Pouvoir enfin faire ce qu'il avait tant rêvé lui procurait une telle ivresse qu'il lui fallut quelques secondes avant de se rendre compte qu'elle ne répondait pas à son baiser.

Il en prit conscience dans une sorte de brouillard d'hébétude, avant de relâcher la pression sur ses lèvres.

Nicky était comme inerte. Un corps sans réaction entre ses bras.

Bien qu'elle fût plaquée à lui, il ne sentait pas son cœur battre à l'unisson du sien. Elle ne se lovait pas contre lui. Sa respiration était aussi paisible que la sienne était haletante. Manifestement, aucune passion ne l'habitait.

Ce qui signifiait qu'encore une fois Rafael avait commis une funeste erreur de jugement. Comme lorsqu'il avait confondu désir et amour et s'était fourvoyé à demander Marina en mariage.

Il recula d'un pas, rendant sa liberté à Nicky. Lorsqu'il contempla le visage figé de la jeune femme, tout s'éclaira dans son esprit.

Nicky ne ressentait rien pour lui. Il n'avait fait que se bercer d'illusions en imaginant qu'elle attendait qu'il fasse le premier pas.

Pour tout dire, il s'était comporté comme le dernier des imbéciles !

7.

Oh ! Seigneur !

Nicky porta ses mains à sa bouche, tout en fixant Rafael avec des yeux écarquillés.

Il avait desserré son étreinte, et se passait les mains dans les cheveux.

Que diable lui avait-il pris ? C'était à n'y rien comprendre.

Inquiète de l'entendre pousser un gémissement étranglé, elle s'était poliment enquise de sa santé. Or, l'instant d'après, elle se retrouvait dans ses bras, et il l'embrassait avec fougue !

Qu'est-ce que cela voulait dire ?

Peu à peu, Nicky commençait à émerger du choc dans lequel l'avait plongée ce baiser. La seule réponse possible à cette question finit par se faire jour dans son esprit.

Non ! C'était insensé…

Rafael ne pouvait pas être attiré par elle.

A aucun moment il ne lui avait laissé supposer qu'elle lui plaisait. D'ailleurs, après qu'elle avait été à deux doigts de lui fendre le crâne, il était resté prudemment à l'écart. La façon dont il s'était jeté dans le travail de la vigne, au cours des vingt-quatre heures qu'ils avaient passées sous le même toit, avait même laissé imaginer à Nicky qu'il la voyait plutôt comme la reine des casse-pieds.

Pourtant, la fougue et la passion de ce baiser étaient indéniables. Nicky sentait encore les lèvres brûlantes de Rafael emprisonner les siennes, la pression de ses mains sur son corps, et la tension dont il vibrait. Elle ne pouvait oublier la sensation de sa langue cherchant la sienne pour l'entraîner dans une danse experte. En d'autres temps, elle y aurait certainement pris plaisir.

Et comment aurait-elle pu ignorer l'évidence de son désir palpitant contre son ventre ?

Seigneur ! Qui aurait pu croire cela ?

Elle devait voir la vérité en face.

Cependant, il lui semblait inconcevable qu'un homme puisse la désirer en ce moment. Surtout un mâle du genre de Rafael, aux pieds de qui toutes les femmes devaient se traîner.

Comment avait-il fait pour la remarquer, alors qu'elle avait perdu tout sex-appeal ? Elle était certainement aussi séduisante qu'un sac de patates !

Malgré tout, pour aussi saugrenu que cela paraisse, il semblait bien que cela soit le cas.

Tout prenait sens.

Ainsi, c'était la raison pour laquelle il avait passé tout le déjeuner à lui décocher des sourires si éblouissants qu'elle avait presque été obligée de chausser ses lunettes de soleil.

Il était en train de flirter, et elle ne s'en était même pas rendu compte ! Comme une idiote, elle avait pris pour argent comptant ses marques d'attention. Détendue comme elle ne l'avait pas été depuis longtemps, ravie qu'il n'ait pas cherché à en savoir davantage sur son cauchemar, elle lui avait rendu ses sourires, bavardant avec lui comme avec un vieux copain.

Dire qu'elle lui avait même demandé de lui mettre de la crème dans le dos ! Et en dégrafant son soutien-gorge, par-dessus le marché !

Eh bien, voilà qu'elle était dans de beaux draps ! Rafael attendait qu'elle lui tombe dans les bras. Le problème, c'était qu'elle n'en avait aucune envie.

Comment allaient-ils se sortir de ce pétrin ?

Peut-être valait-il mieux qu'elle explique à Rafael pourquoi elle s'était montrée aussi peu réceptive ?

Nicky était sur le point de s'exécuter quand Rafael lui-même brisa l'inconfortable silence.

— Je vous prie de m'excuser, lâcha-t-il d'un ton glacial.

Il y avait dans son attitude une telle raideur cérémonieuse que Nicky se dit qu'elle avait fait fausse route. Peut-être s'était-elle fait des idées, et n'éprouvait-il nullement la passion qu'elle avait cru déceler dans son baiser ?

Où était passée la frénésie sauvage qu'elle avait perçue lorsqu'il l'embrassait à bouche que veux-tu ?

L'homme qui se tenait devant elle, les traits fermés, les paupières mi-closes, n'avait plus rien de commun avec celui qui avait perdu la maîtrise de lui-même quelques instants plus tôt. Le contraste était à la fois saisissant et déstabilisant.

— De quoi ? questionna-t-elle, en réaction à ses excuses qui lui semblaient tout à fait injustifiées.

Après tout, ne l'avait-elle pas involontairement provoqué ?

— De vous avoir agressée. C'est impardonnable. Je suis désolé.

— Agressée ? Pas du tout. Vous m'avez embrassée, c'est tout.

Rafael fourra les mains dans les poches de son short et serra les mâchoires.

— Vraiment ? lança-t-il avec l'air de mettre en doute ses paroles. Pourtant, vous n'avez pas répondu à mon baiser.

Et il en déduisait qu'elle s'était sentie agressée ? Bon, elle n'avait pas particulièrement envie de lui donner les raisons de son inertie, cependant elle ne pouvait le laisser persister dans cette idée.

— Non, c'est vrai, acquiesça-t-elle. Mais ce n'est pas votre faute.

— Ah bon ?

Secouant la tête avec énergie, Nicky ébaucha un sourire.

— Non. Pour dire les choses clairement, vous êtes

très beau garçon, et j'imagine que n'importe quelle femme normalement constituée aurait défailli dans ces circonstances.

— Pas vous.

Le sourire de Nicky s'effaça.

— Non. Mais le problème ce n'est pas vous. C'est moi.

Si cela était possible, Rafael parut se figer encore davantage, et sa mâchoire se contracta un peu plus.

— Oubliez tout cela, finit-il par lâcher entre ses dents.

— Je ne peux pas ! Vous n'imaginez pas à quel point j'aimerais être attirée par vous.

Elle tenta de rattraper les paroles qui venaient de jaillir de sa bouche mais c'était trop tard. Bon sang, tout ce qu'elle disait ne faisait que rendre la situation encore plus gênante !

— Laissez-moi vous expliquer…

— Ce n'est pas nécessaire.

— Si. J'insiste.

Soudain, le masque impassible de Rafael tomba. Il la fusilla du regard.

— Ecoutez, Nicky, lança-t-il d'un ton cassant, je ne sais pas ce qui m'a pris. Pendant un bref instant, j'ai eu envie de vous, je l'admets. C'était peut-être la chaleur. Le vin. Le soleil. Bref, c'était une erreur de jugement de ma part. Un moment de folie. Quoi qu'il en soit, je vous garantis que cela ne se reproduira pas. Et cela ne mérite pas davantage de discours. Ce matin, vous m'avez demandé de ne pas chercher à savoir ce qui avait provoqué votre cauchemar. Maintenant je vous demande de me rendre la pareille. S'il vous plaît, oublions tout cela.

Il s'était exprimé avec une telle dureté que Nicky en demeura sans voix. Pendant quelques secondes, elle le dévisagea en silence. Puis elle renonça à aller plus avant. A quoi servait de s'expliquer, quand Rafael se refusait à l'entendre ?

— D'accord, finit-elle par dire à contrecœur. Je vous laisse tranquille avec mes explications.

— C'est parfait. Maintenant, si vous voulez bien m'excuser…

Nicky fut arrachée à la torpeur de sa sieste par la sonnerie de son téléphone portable qui résonnait dans la cuisine, au rez-de-chaussée. En bâillant, elle se leva et descendit d'un pas mal assuré, tandis que les étranges événements du début de l'après-midi lui revenaient à l'esprit.

Elle n'aurait jamais dû insister pour justifier auprès de Rafael son manque de réaction. Ne lui avait-il pas dit qu'il refusait de s'engager dans quelque aventure que ce soit ? Aussi, il n'avait certainement aucune envie qu'elle lui ouvre son âme. Sur ce point, au moins, ils avaient la même conception des choses.

De toute façon, ils étaient promis à ne se côtoyer que provisoirement. Alors, pourquoi perdrait-elle son temps à essayer de lui faire comprendre ce qu'elle ressentait ? Et pourquoi s'interroger davantage pour savoir ce qui l'avait ainsi fait changer d'attitude, et adopter une indifférence glaciale ?

Le mieux qu'elle avait à faire était de consacrer toute son énergie à recouvrer ses forces. Et à rester à distance respectable de Rafael.

Son téléphone continuait à vibrer sur la grande table en pin, et elle s'empressa de décrocher.

— Nicky !

La voix aiguë de Gaby amena un sourire sur ses lèvres.

— Salut, ma belle ! s'exclama-t-elle, en tirant une chaise pour s'y asseoir.

— Oh ! Nicky, je suis désolée ! J'avais perdu mon téléphone, et tout mon carnet d'adresses. Ça a pris des lustres pour m'en procurer un autre.

— Alors, c'est pour ça que tu étais injoignable.

— *Personne* n'a pu me joindre. C'était l'horreur !

L'essentiel de la vie de Gaby était concentré dans la mémoire de son portable. Nicky imaginait donc parfaitement à quel point elle avait dû être aux abois.

— Et Bahreïn ? C'est comment ?

— Etouffant. Et desséché, à tous les sens du terme. Mais ce n'est pas le plus important. Dis-moi plutôt comment *toi*, tu vas ?

Ça, c'était la question du siècle !

A vrai dire, après les événements des dernières heures, Nicky ne savait plus très bien comment y répondre.

— Ça va, dit-elle sans grande conviction.

— Tu es sûre ?

— Oui. Depuis que je suis ici, en tout cas.

Après tout, ce n'était pas faux. La magie du *cortijo* avait déjà opéré sur elle, d'une certaine façon. Parmi toutes les émotions qui s'étaient bousculées dans sa tête depuis quelques heures — et Dieu sait si elles étaient nombreuses — elle devait bien admettre que la tristesse et le sentiment de solitude n'avaient pas eu leur place.

— C'est bien. Et tes chakras ?

Nicky réfléchit quelques secondes. Elle ne pouvait nier qu'elle se sentait plus légère, comme si le poids terrible qui avait pesé sur ses épaules au cours des derniers mois se faisait peu à peu moins lourd. Son sourire s'élargit à la pensée que la petite lumière qui vacillait au bout du tunnel commençait à briller plus intensément.

— Ça va.

Gaby eut une exclamation de triomphe.

— Ah ! J'en étais sûre. Mon intuition est imparable.

Posant les talons sur le bord de la chaise où elle était assise, Nicky remonta ses jambes pour entourer ses genoux d'un bras.

— Pas tout à fait, dit-elle. Je croyais que tu m'avais assuré que ton frère ne venait que très rarement au *cortijo*.

— C'est vrai. Il n'y a pas mis les pieds depuis une éternité.

— Eh bien, il semble qu'il ait décidé de modifier ses habitudes.

— *Quoi* ? Tu veux dire que Rafa est avec toi ?

Ce n'était pas tout à fait vrai pour l'heure, puisqu'il devait vaquer à ses « occupations », mais on pouvait dire les choses comme cela.

— Oui.

— Seigneur ! Qu'est-ce qui lui a pris ?

— Je crois qu'il avait besoin d'un peu de repos.

Gaby soupira.

— Oh ! Nicky, je suis *vraiment* désolée !

— Tu n'y es pour rien.

— Non, bien sûr. J'ai fait tout mon possible pour le prévenir, mais il n'a répondu ni à mes appels ni à mes e-mails… A aucun moment je n'ai imaginé qu'il pouvait lui venir l'idée d'aller en Andalousie.

— Eh bien, c'est pourtant ce qu'il a fait.

Une feuille de papier appuyée contre le vase posé au centre de la table attira soudain l'attention de Nicky. Elle se pencha pour lire les quelques mots qui y étaient notés, puis se recula en fronçant les sourcils.

Qu'est-ce que cela voulait dire ?

— Mais apparemment, il est déjà parti, ajouta-t-elle.

— Parti ? Où ça ?

— A en croire le mot que je viens de trouver sur la table, il est rentré à Madrid. Pour son travail, j'imagine. Nous sommes dimanche ; il avait peut-être besoin d'être à son bureau dès lundi matin.

Un silence accueillit cette information.

— Cela n'a pas de sens, conclut Gaby après quelques secondes de réflexion. On est en août, et tout le monde est en vacances.

— Sauf Rafael, semble-t-il. Tu dis toi-même que c'est un bourreau de travail.

— C'est vrai. Qu'y a-t-il d'autre sur son mot ?

— Rien, si ce n'est que je n'ai qu'à continuer à me reposer, et à profiter de mon séjour.

— Tout à fait d'accord… Bon, comment est-ce que cela s'est passé avec lui ?

Nicky grimaça, revoyant quelques-uns des épisodes des jours passés.

— Je ne suis pas certaine qu'il ait été enchanté de me trouver chez lui.

— Tant pis pour lui ! S'il m'avait appelée, je lui aurais tout expliqué. Il n'a pas été désagréable, au moins ?

— Non, ça s'est bien passé. Il a à peine quitté ses chers vignobles, et moi le bord de la piscine. On s'est à peine… croisés.

S'il existait une justice divine, elle risquait d'être foudroyée sur place pour ce pieux mensonge !

Gaby laissa échapper un petit grognement sceptique.

— Je ne sais pas pourquoi, mais j'ai l'impression que tu me caches quelque chose.

Pas étonnant ! songea Nicky. Elle avait beau ne rien avoir à se reprocher, il y avait dans sa voix une pointe de culpabilité qu'elle ne parvenait pas à effacer.

Pourvu que la perspicacité légendaire de Gaby lui fasse momentanément défaut ! Nicky n'avait aucune expérience des relations entre frères et sœurs, mais elle supposait néanmoins que son amie ne serait pas ravie d'apprendre ce qui s'était passé au bord de la piscine.

— Je ne vois pas pourquoi, dit-elle en se passant nerveusement la main dans les cheveux.

A peine avait-elle dit cela qu'elle rentra la tête dans les épaules. Difficile d'être moins convaincante !

— Sans doute parce que tes réponses sont un peu évasives. Ce n'est pas dans tes habitudes.

Nicky avait l'impression de voir frémir les antennes de son amie.

— Je ne vois pas ce que tu veux dire…

Elle entendit Gaby prendre une inspiration, et lorsque celle-ci reprit la parole, ce fut avec une froideur que Nicky ne lui avait jamais connue.

— Qu'est-ce qu'il a fait ? questionna-t-elle.

Soudain écarlate, Nicky se félicita que son amie ne puisse la voir.

— Rien.

— Ne me prends pas pour une idiote ! Je connais mon frère. Il t'a draguée, c'est ça ?

Bon, résolut Nicky en se tortillant sur sa chaise, il ne servirait à rien de se dérober. Sa voisine avait beau être férue de philosophie orientale et prôner la quête de la sérénité et de l'harmonie, elle pouvait se montrer extrêmement tenace quand elle avait décidé de savoir la vérité.

— Il m'a juste embrassée, avoua-t-elle d'un air détaché. Rien de grave. Nous nous sommes expliqués à ce sujet. Puis… il est reparti. Sans que nous nous soyons revus…

Ses paroles tombèrent dans un silence lourd. Qui se prolongea si longtemps qu'elle crut que la communication avait été coupée.

— Gaby ? Tu es toujours là ?

— Je suis là.

— Tu as entendu ce que j'ai dit ? Tu es rassurée ?

Une pause de nouveau, puis Gaby explosa :

— Rassurée ? *Rassurée* ? Tu plaisantes ! Ah, il va m'entendre… Je vais le *massacrer* !

Rafael claqua derrière lui la porte de son appartement, et laissa tomber son sac dans l'entrée. Il se dirigea vers la cuisine.

Une bière bien fraîche, voilà ce dont il avait besoin !

Il prit une bouteille dans le réfrigérateur, la décapsula, puis s'appuya contre le plan de travail et la porta à ses lèvres.

Quel après-midi !

Pour la énième fois depuis qu'il avait quitté le *cortijo*,

de pénibles images lui revinrent à la mémoire. Fermant les yeux, il laissa échapper un long soupir.

Comment avait-il pu se tromper à ce point et perdre ainsi la tête ? Comment sa résistance à la tentation avait-elle pu lui faire à ce point défaut ?

Un tel comportement ne lui ressemblait pas. C'était à la fois inattendu et sans précédent dans sa vie.

Il ne comprenait même pas quel était ce besoin primitif qui l'avait poussé ainsi à se jeter sur Nicky. C'en était presque effrayant.

Au moins, songea-t-il, en partie rasséréné, il était parvenu à recouvter le contrôle de lui-même après ce catastrophique baiser.

Non sans mal, certes, il avait su se montrer déterminé dans son refus de laisser Nicky ajouter le moindre commentaire à cette déroute.

Oui, il avait bien fait de l'empêcher de se lancer dans des explications qui les auraient nécessairement menés à décortiquer les tenants et les aboutissants de son inqualifiable perte de contrôle.

Par ailleurs, il ne regrettait pas d'avoir levé le camp. Même si Nicky avait souscrit à sa demande sur le moment, il était manifeste qu'elle avait toute intention de revenir à la charge dès que l'occasion lui en serait donnée.

Et puis, bien qu'il s'en défende, il ne pouvait oublier la manière dont elle l'avait repoussé. C'était, malgré tout, une blessure d'amour-propre qui serait ravivée chaque fois qu'il poserait les yeux sur elle. Et ça, il n'en était pas question.

De plus, qu'est-ce qui lui garantissait qu'il ne serait pas de nouveau tenté de l'embrasser ? Son self-control était suffisamment ébranlé pour que le risque existe. Perspective terrifiante, s'il en était !

Rassemblant le peu de fierté qu'il lui restait, il avait donc tourné les talons. Epuisé, vaincu, et conscient d'être arrivé au bout de ses forces.

Avec un grand soupir, Rafael se passa la main sur

le visage. Ce week-end était le plus désastreux, le plus frustrant, qu'il ait vécu depuis fort longtemps.

Au moins, il tirait à sa fin, se rassura-t-il en levant les yeux vers la pendule. Plus que quelques heures avant la tombée de la nuit.

Avec l'aide d'une ou deux bières supplémentaires, il parviendrait bien à expédier Nicky dans les brumes d'un oubli définitif.

Alors, le tumulte de son esprit s'apaiserait, et il redeviendrait lui-même.

Avec un peu de chance.

La sonnerie du téléphone le fit sursauter. L'extirpant de sa poche, il regarda l'écran et ne put retenir un soupir exaspéré. Le sort s'acharnait.

La tentation était grande de ne pas répondre. Cependant, il était préférable de ne pas y céder. La dernière fois qu'il l'avait fait, cela avait eu des conséquences plutôt funestes.

— Gaby ? dit-il avant de prendre une gorgée de bière. C'est sympa de m'appeler. Ça se passe comment, à Bahreïn ?

— Laisse tomber tes salades, tu veux ? Raconte-moi plutôt ce que tu as fait à ma copine ?

Jamais Rafael n'avait entendu sa sœur lui parler sur un ton aussi agressif.

Posant sa bouteille sur le plan de travail, il se contraignit à respirer calmement.

— Si je comprends bien, tu as parlé à Nicky.

— Je viens de l'avoir au téléphone.

— Comment va-t-elle ?

Il entendit Gaby pousser un soupir excédé.

— Aussi bien que possible, lança-t-elle. Malgré ce qu'il s'est passé… Pour ma part, je suis sous le choc !

Rafael ferma les yeux. Surtout, se dit-il, ne pas céder à l'envie de raccrocher, en essayant de faire croire que la batterie de son portable était à plat.

— Pourquoi ? Qu'a-t-elle dit ?

— Que tu l'avais embrassée. C'est vrai ?

— Je ne vais pas nier. Tu as l'air de tout savoir.

— Pas tout, hélas. Ce que j'ignore, c'est comment tu as *osé*.

Quelle question ! Le souvenir de ce qu'il avait éprouvé en tenant Nicky dans ses bras réveilla soudain tous ses sens. Rafael se contraignit à chasser les images qui l'assaillaient pour se concentrer sur la conversation.

— Quel est le problème, Gaby ? Qu'est-ce qui te choque à ce point ?

Pour autant qu'il s'en souvienne, Nicky n'avait pas eu l'air aussi bouleversée que lui par le baiser qu'il lui avait volé. Alors, pourquoi sa sœur était-elle aussi remontée ?

A moins que Nicky, prenant le temps de réfléchir, n'en soit arrivée à la même conclusion que lui : à savoir qu'il avait pris avec elle des libertés inqualifiables. Ce dont elle s'était peut-être ouverte à son amie.

— Je n'ai fait que l'embrasser, ajouta-t-il entre ses dents, sans parvenir à surmonter le sentiment de malaise, et de dégoût à l'égard de lui-même, qui le chatouillait.

— C'est *précisément* le problème, rétorqua Gaby avec véhémence. Nicky n'a pas besoin de ça. Elle a assez de soucis comme cela.

Rafael fronça les sourcils.

— Quel genre de soucis ?

— Ce n'est pas à moi de le dire. Elle m'a demandé de ne pas en parler. Mais c'est grave.

Un frisson secoua Rafael.

— Elle est malade ?

— Non. Pas physiquement. Pour autant que je sache, en tout cas. Tout ce que je peux te dire, c'est qu'elle a traversé des moments difficiles, ces derniers temps. Elle a bien besoin qu'on lui fiche la paix. Et qu'on lui accorde le temps nécessaire pour refaire surface. Seule.

C'était juste ce qu'il manquait à Rafael en ce moment : une bonne dose supplémentaire de culpabilité !

Il sentit la migraine le gagner.

Bon sang, comment avait-il fait pour ne pas réaliser que Nicky n'allait pas si bien que ça ? En fait, il en avait eu le pressentiment, à peine s'étaient-ils rencontrés. Ne l'avait-il pas trouvée très pâle, et un peu trop mince ?

La veille, au dîner, il avait bien perçu ses réticences lorsqu'il avait essayé de la faire parler de son travail. Et qu'en était-il de ce cauchemar qu'elle avait refusé d'expliciter.

Dire qu'au lieu de prêter attention à tous ces signes, il n'avait pensé qu'à son propre désir. Et à la contrariété ressentie à constater qu'il n'était pas réciproque.

Il s'était jeté sur elle comme une brute.

Si seulement il n'avait pas eu l'idée saugrenue d'aller passer ce week-end en Andalousie !

Aucun des désagréments qu'il aurait pu subir en restant à Madrid n'aurait été pire que la perspective de la honte que lui infligeait son comportement des derniers deux jours.

— Sois rassurée, déclara-t-il d'un ton maussade, je n'ai pas l'intention de revoir Nicky. Elle a désormais tout loisir de jouir de sa tranquillité.

8.

A sa grande surprise, Nicky ne tarda pas à se rendre compte qu'elle prenait un immense plaisir à son séjour au *cortijo*, et qu'il lui faisait le plus grand bien.

Il y régnait une telle paix qu'elle n'avait pas été aussi détendue depuis fort longtemps. Et le départ inopiné de Rafael avait permis à son esprit surmené de retrouver une sérénité tout à fait bienvenue.

Une quinzaine s'était écoulée depuis qu'il avait regagné Madrid, au cours de laquelle Nicky s'était installée dans une agréable routine. Manger, dormir, lire, lézarder au soleil, telles étaient ses seules activités.

Le lundi suivant le départ précipité de Rafael avait vu revenir Maria, la cuisinière. Dès son retour de week-end, elle avait réinvesti la mission qu'elle s'était fixée : nourrir Nicky.

Se succédaient, donc, sur la table du déjeuner et du dîner, les mets les plus succulents de la cuisine traditionnelle espagnole. Nicky aurait eu bien du mal à résister à cet appétissant défilé, même si elle l'avait souhaité. C'était de bon cœur qu'elle dévorait. De ce fait, elle avait pris deux ou trois kilos, dont elle reconnaissait qu'ils lui allaient parfaitement.

Elle dormait aussi beaucoup mieux. Maintenant qu'elle était habituée aux craquements que les deux cents ans de la vieille demeure rendaient assez fréquents, elle s'endormait à peine sa tête posée sur l'oreiller. Elle n'ouvrait les yeux qu'au matin, après une nuit d'un sommeil profond et réparateur, presque exempt de cauchemars.

Presque, mais pas tout à fait. La semaine précédente, ses fantômes étaient encore venus la hanter. C'était, supposait-elle, probablement lié au coup de fil de son psychanalyste, venu aux nouvelles. Le reste du temps, elle avait surtout rêvé de Rafael. Ce qui ne laissait pas de la surprendre, vu qu'elle ne pensait jamais à lui dans la journée.

Les forces lui revenant, elle avait entrepris d'explorer la région. Dès l'instant où elle ouvrait les persiennes sur les traînées roses colorant le ciel, elle se préparait à la hâte pour pouvoir profiter de la relative fraîcheur du matin.

Tandis que le soleil montait, elle arpentait les vignobles, se laissant envelopper par les parfums de grappes presque mûres et de terre sèche. A travers ses sandales légères, la chaleur du sol pénétrait jusqu'au tréfonds de son être, chassant le froid glacial qui l'avait trop longtemps habitée.

Peu à peu, elle reprenait contact avec quelques amis et collègues de travail. La veille, elle s'était même enhardie jusqu'à adresser un e-mail à ses parents, pour s'enquérir de l'endroit où les menaient leurs pérégrinations.

Ce qui était encore mieux, c'était que le matin même, émerveillée par la somptueuse lumière qu'elle découvrait chaque jour au réveil, elle avait empoigné son appareil photo, sur une impulsion. Le cœur battant, presque fébrile d'impatience, elle avait gagné les vignes comme à son habitude. Cependant, au lieu de s'y promener, le nez au vent, sans penser à rien, elle avait machinalement étudié la façon dont les rayons obliques du soleil tombaient sur les grappes rebondies, et s'était mise à penser contrastes, angles de vues et composition.

Avant que la chaleur ne devienne par trop étouffante, elle avait fait une série de clichés avec un enthousiasme qu'elle croyait ne plus jamais éprouver.

Quel soulagement !

Il ne lui restait plus qu'une chose à retrouver, songea-t-elle, en s'installant confortablement pour sa sieste traditionnelle : sa libido.

Fixant sur ses yeux le masque qui ferait l'obscurité dans la chambre, elle se laissa aller contre les oreillers.

Quelqu'un venait d'entrer dans la maison !

Le bruit sourd de la porte d'entrée retombant lourdement avait arraché Nicky à un profond sommeil.

Elle se redressa dans son lit, le cœur battant, le sang rugissant à ses oreilles, tous ses sens en alerte.

Des pas lourds résonnèrent dans l'escalier, faisant trembler le cortijo sur ses bases. Chacun semblait faire écho aux battements de son cœur, au fur à mesure qu'ils se rapprochaient de sa chambre.

Exactement comme la première fois.

Elle retint son souffle. Pourtant, aujourd'hui, elle n'était pas terrifiée. Certes, son cœur cognait à tout rompre. Mais ce n'était pas de peur.

Ces pas avaient quelque chose d'étrangement familier. Nicky ne les avait pas entendus depuis quelque temps, mais elle n'en avait pas oublié le bruit à la fois troublant et rassurant.

Avant même qu'elle ne comprenne pourquoi il en était ainsi, la porte s'ouvrit à la volée. Rafael apparut dans l'encadrement, là où elle l'avait vu pour la première fois. Malgré son air hagard, il était aussi splendide que dans son souvenir.

Encore plus sexy, si cela était possible. Un merveilleux fantasme…

Quelques interminables secondes s'écoulèrent sans que ni l'un ni l'autre ne dise mot. L'esprit vide, Nicky ne pouvait que fixer Rafael en silence. Quant à lui, il paraissait ne pas oser ouvrir la bouche. Comme s'il se méfiait de ce qu'il pourrait dire.

Il suffisait de le voir pour comprendre qu'il avait toutes les peines du monde à garder le contrôle de lui-même.

Comme un homme prêt à basculer dans un précipice insondable...

Une vague de chaleur submergea Nicky, tandis qu'un millier d'étincelles couraient le long de son dos, la faisant frissonner des pieds à la tête.

Rivant son regard à celui de Rafael, elle sentit son cœur bondir en voyant le feu qui brûlait dans ses yeux.

— *Pourquoi êtes-vous revenu ?* questionna-t-elle, *sans parvenir à trouver une réponse logique à cette interrogation qui lui faisait tourner la tête.*

Mâchoires serrées, Rafael vrillait aux siennes ses prunelles vert sombre.

— *Je n'ai pas pu rester loin de vous,* dit-il d'une voix sourde. *J'ai essayé, mais c'est impossible.*

Nicky déglutit avec peine. Sa gorge était si sèche !

— *Oh !* souffla-t-elle, *pourquoi ?*

— *Je n'arrive pas à vous oublier. Vous me rendez fou.*

— *Qu'y puis-je ?*

Pourquoi parlait-elle de cette voix étouffée ? Son cœur battait si follement qu'elle redoutait presque qu'il n'explose dans sa poitrine.

Soudain, ce fut comme si le masque sévère que Rafael semblait avoir plaqué sur son visage tombait, pour révéler un désir primitif qui la fit frémir.

— *Vous seule pouvez mettre un terme à mes souffrances,* dit-il.

Nicky sentit le feu qui couvait au creux de son estomac éclater en un brasier ardent. Des ondes brûlantes se propagèrent dans ses veines tel un raz-de-marée torride, emportant sur son passage toute velléité de pensée rationnelle.

Sans trop savoir comment, elle parvint à se mettre debout, et s'avança vers Rafael en lui souriant. Le prenant par la main, elle fit un pas en arrière, tandis qu'il la suivait avec une obéissance aveugle.

Comme dans une danse rituelle — elle reculant, lui avançant — ils revinrent vers le lit qu'elle venait de quitter. Leurs regards aimantés les liaient par le fil invisible d'un désir partagé. Ils se touchaient à peine, et pourtant il y avait entre eux comme un flux d'électricité qui faisait vibrer l'air.

Lorsque Nicky fut acculée au lit, Rafael ne cessa pas pour autant d'avancer. Il s'approcha jusqu'à la toucher, et referma ses bras sur elle.

Les mains nouées sur sa nuque, elle leva vers lui son visage. Il pencha le sien, et leurs bouches se soudèrent.

Les yeux fermés, Nicky s'abandonna à ce baiser qui commença dans une douceur voluptueuse, mais ne tarda pas à se muer en une faim sauvage et frénétique.

Une décharge de volupté la transperça, aussi violente qu'un courant électrique, et elle ne put que plaquer encore plus étroitement son corps à celui de Rafael, en geignant tout contre sa bouche.

Emportée par un tourbillon vertigineux, elle le laissa l'allonger à plat dos sur le lit. Comme par enchantement, ses vêtements disparurent, et soudain les mains fiévreuses de Rafael furent partout sur son corps. Elles en parcouraient chaque centimètre carré, passant de son cou à ses seins, puis son ventre, et enfin explorant le cœur de sa féminité, inondé d'une moiteur brûlante.

Ensuite, ce fut sa langue qui œuvra avec magie là où ses doigts s'étaient attardés. En quelques secondes, Nicky se retrouva pantelante, haletant follement, murmurant son nom entre des plaintes inarticulées, ondulant sous ses caresses, les hanches arquées à sa rencontre.

Vague après vague des sensations étourdissantes la submergèrent. Chuchotant à son oreille des supplications sourdes, elle planta ses ongles dans son dos, tout en l'exhortant à la satisfaire.

Alors, il la pénétra.

Lentement, il entreprit un délicieux mouvement de va-et-vient, qui s'intensifia jusqu'à ce que tous deux unissent leurs voix dans de folles lamentations qui emplissaient la pièce.

Nicky s'arc-bouta, tendue pour accueillir la montée du plaisir qui la submergeait tout entière, et la faisait vibrer.

C'était trop ! Elle n'allait plus pouvoir résister davantage à cette griserie. Elle allait défaillir...

Tout à coup, Nicky s'éveilla en sursaut. Couverte de transpiration, elle sentait un besoin sourd lové au creux de son ventre.

Que lui arrivait-il ?

Elle arracha le masque de son visage, et cligna des yeux tant était vive la lumière qui inondait la chambre.

Cependant, les visions érotiques qui l'assaillaient ne s'effacèrent pas en quelques clignements de paupières. De même que ne s'éteignait pas la myriade de langues de feu qui continuaient à courir délicieusement sur sa peau.

Se trompait-elle ? Ce qu'elle venait de ressentir en rêve, était-ce bien ce qu'elle croyait ?

Abasourdie, Nicky se redressa sur les oreillers, et prit une profonde inspiration pour essayer de recouvrer ses esprits.

Lorsqu'elle s'enhardit à baisser les yeux vers sa poitrine, ce fut pour constater que ses mamelons durcis pointaient sous l'étoffe de son T-shirt.

Juste ciel !

Plaquant ses paumes sur ses joues, elle se rendit compte qu'elles brûlaient d'un feu que ne fit que confirmer ses doutes : il n'y avait pas à se tromper sur les sensations dont elle sentait encore les répercussions dans tout son être.

Eh bien, voilà qui était nouveau...

Nicky se laissa retomber en arrière avec un grand

sourire. En s'étirant, elle se délecta de l'impression de merveilleuse langueur qui s'était emparée d'elle.

Cela faisait si longtemps…

Des images se succédèrent dans son esprit, évoquant avec la vivacité d'un film en couleurs ce qu'elle venait de faire avec Rafael en rêve.

Dieu soit loué ! Voilà que ses sens semblaient retrouver un peu de vigueur.

Il était temps ! Nicky commençait à craindre que cela ne se produise jamais.

Quant au fait que Rafael ait été l'objet de ce songe érotique, cela n'avait rien de surprenant.

Après son départ, elle l'avait totalement gommé de son esprit. Cependant, peu à peu au cours de la quinzaine écoulée, il s'était immiscé dans ses pensées sans qu'elle n'y puisse rien.

A plusieurs reprises lui était revenu le souvenir de son corps lourd sur le sien, le premier soir, quand ils s'étaient retrouvés par terre. Des flash-backs lui rappelaient la perfection de son dos musclé, qu'elle n'avait pu s'empêcher d'admirer lorsqu'il préparait leur repas.

Elle revoyait ses longs doigts fins jouant avec le pied d'un verre à vin. Et le regard de braise avec lequel il la contemplait pendant qu'elle dégustait des crevettes.

Tout comme la hantaient les sourires éblouissants dont il l'avait gratifiée tout au long du déjeuner au bord de la piscine. Elle éprouvait encore la sensation de ses mains enduisant son dos de lotion solaire.

Et puis, il y avait eu ce baiser…

Depuis quelques jours, elle ne cessait d'y penser. Elle se rappelait la lueur de désir dans les prunelles de Rafael. La chaleur de ses bras, lorsqu'il l'avait enlacée, restait présente à son esprit. Elle sentait sous ses paumes les méplats de son torse puissant. Et même la pression de ses larges mains la plaquant fermement contre lui.

Comment aurait-elle pu oublier l'habileté de cette

bouche exigeante s'emparant de la sienne ? Ou le contact bouleversant de son sexe dressé contre son ventre ?

Il n'était pas jusqu'à la froideur distante avec laquelle il avait réagi ensuite qui ne soit teintée d'un érotisme grisant dans sa mémoire.

Par une espèce de superstition, elle s'était refusée à accorder trop d'importance aux curieux picotements que ces souvenirs provoquaient en elle. Pour ne pas trop y penser, elle avait préféré croire que c'était l'excès de soleil qui en était la cause.

Mais il était inutile de se mentir à elle-même : ce qu'elle éprouvait à l'égard de Rafael n'était rien moins que du désir.

En cet instant même, le simple fait d'évoquer son souvenir suffisait à faire naître en elle une lascivité des plus éloquentes. Et elle n'avait qu'à repenser à son sourire pour que son pouls s'accélère, et qu'elle se sente fondre comme neige au soleil.

Qu'en serait-il, alors, le jour où ils auraient une relation ? Ou plutôt, corrigea Nicky en fronçant les sourcils, *si* telle chose advenait un jour.

Car, constater avec plaisir que sa libido avait repris du service était une chose, avoir une liaison avec Rafael en était une autre. Surtout qu'il était reparti à Madrid…

De plus, rien ne permettait de présumer de ses dispositions d'esprit.

D'accord, il avait été attiré par elle pendant un bref instant. Mais l'impassibilité dont il avait fait preuve par la suite et la façon dont il avait quitté les lieux sans même la saluer ne laissaient en rien supposer qu'il continue à se consumer de désir à distance.

Pendant quelques secondes, le moral de Nicky fut au plus bas. Puis elle se leva d'un bond et redressa les épaules.

Non ! Elle n'allait pas s'avouer vaincue sans combattre !

Après tout ce qu'elle avait traversé, il était hors de question qu'elle laisse passer une telle opportunité.

Ce n'était pas quelques centaines de kilomètres, et une poignée de doutes, qui allaient avoir raison d'elle.

Il fallait au moins qu'elle aille s'assurer par elle-même de l'état d'esprit de Rafael.

Qui sait s'il ne serait pas disposé à faire en sorte que son rêve devienne réalité, lui permettant ainsi de retrouver la vie d'une jeune femme de son âge ?

Quoi qu'il en soit, elle ne se pardonnerait jamais de n'être pas allée constater ce qu'il en était par elle-même.

9.

Assis à son bureau, dans son luxueux appartement avec terrasse surplombant la ville, Rafael contemplait pensivement l'écran de son ordinateur portable.

Encore une fois, le souvenir du week-end qu'il avait passé au *cortijo*, quinze jours plus tôt, vint hanter son esprit.

Comment avait-il été assez fou pour imaginer, ne serait-ce qu'un instant, qu'il parviendrait à ignorer la présence de Nicky ?

Il avait eu bien raison de se replier à Madrid sans attendre.

Dans l'atmosphère nonchalante qui était celle de la capitale en cette période estivale, il avait pu jouir du calme indispensable pour recouvrer son self-control, et reconstruire ses défenses mises à mal par cette rencontre inopportune.

La solitude lui avait été des plus bénéfiques. A part quelques amis qui, comme lui, n'avaient pas fui vers le littoral, il n'avait vu personne, et s'était consacré à jardiner sur son immense terrasse.

A son grand soulagement, il n'avait pas entendu parler de Nicky depuis son retour au bercail.

Quant aux diverses représentantes de la gent féminine, gravitant dans son entourage et habituellement si déterminées à le poursuivre de leurs assiduités, il semblait qu'elles aient décidé de le laisser tranquille.

C'était parfait ! Il allait pouvoir se consacrer au long

congé sabbatique qu'il envisageait de prendre en matière de relations amoureuses.

Les sourcils froncés, Rafael s'absorba dans l'examen de cette résolution.

A l'avenir, il lui faudrait prendre garde à se tenir à distance de jeunes femmes telles que Nicky.

Ne l'avait-elle pas transformé en un individu dans lequel il ne se reconnaissait pas ? Quelqu'un qui avait perdu tout contrôle sur lui-même, et oublié les valeurs auxquelles il tenait.

Comment avait-il pu ne pas respecter la vulnérabilité clairement perceptible de la jeune femme ? De plus, il avait su dès leur rencontre qu'elle était une amie de Gaby, et cela ne l'avait même pas fait hésiter à céder à l'attirance qu'il ressentait pour elle.

Fallait-il qu'il ait perdu l'esprit pour passer outre à la promesse qu'il s'était faite de ne plus jamais avoir de relation avec l'une ou l'autre des amies de ses sœurs !

Ne lui avait-il pas suffi d'une fois pour apprendre, à ses dépens, que c'était la porte ouverte à une inévitable catastrophe ?

Le lamentable épisode de sa très brève union avait failli le fâcher avec sa sœur Elena, et il s'était bien juré de ne plus jamais se laisser prendre à un tel piège.

Heureusement que Nicky n'avait pas ressenti pour lui la moindre attirance. Sinon, Dieu seul savait quel gâchis aurait pu faire suite au malencontreux baiser qu'il lui avait donné.

Il l'avait échappé belle !

Plantée devant la porte de l'appartement de Rafael, Nicky se demandait si elle avait vraiment eu une si bonne inspiration.

Certes, la veille, soulagée et ravie d'avoir recouvré toutes ses facultés, elle n'avait pas douté un instant d'avoir les meilleures raisons du monde pour sauter sans attendre dans un train pour Madrid.

Mais à cet instant même, alors qu'elle s'apprêtait à poser le doigt sur la sonnette, toute son assurance l'abandonnait. Et il ne restait rien de la poussée d'adrénaline qui l'avait lancée dans cette aventure.

D'abord, qu'est-ce qui lui prouvait que Rafael était chez lui, et qu'elle n'avait pas fait le voyage en vain ?

Prendre ainsi des décisions à la légère était ridicule, et ne lui ressemblait guère.

Dire qu'il lui avait fallu extorquer l'adresse de Rafael à Gaby sous le prétexte fallacieux de lui faire suivre du courrier !

Néanmoins, pouvait-elle rater si belle occasion de s'assurer que la longue période d'abstinence qu'elle venait de traverser touchait à sa fin ? Elle n'en pouvait plus de se traîner, dévorée de complexes, et prisonnière de blocages qui l'empêchaient de vivre pleinement.

Après tout, que risquait-elle ? Prenant une profonde inspiration, Nicky sonna et attendit.

Les secondes s'égrenèrent avec une lenteur insoutenable. Les genoux tremblants, les mains moites, elle tritura nerveusement la bandoulière de son sac en se mordillant la lèvre.

Que lui arrivait-il ? Jamais elle n'avait été aussi fébrile.

Nicky ferma les yeux et s'intima l'ordre de recouvrer son calme. Après quelques inspirations, elle sentit son pouls ralentir, et la tension qui l'habitait reflua.

Juste à temps, car des pas se firent entendre de l'autre côté de la porte.

Ouf ! Il y avait quelqu'un. Elle n'avait pas fait le voyage pour rien.

Nicky ouvrit les yeux. Pourvu que ce soit Rafael !

Le silence se fit. Manifestement, on l'observait à travers le judas, et elle arbora son plus radieux sourire. Elle s'enhardit même jusqu'à faire un petit signe de la main.

L'exclamation en espagnol qui résonna sur le palier n'avait rien de très engageant. Et encore moins le coup sourd qui ébranla la porte, la faisant sursauter.

Oh ! Seigneur ! Rafael ne semblait pas particulièrement enchanté de sa visite…

Cependant, Nicky n'allait pas se laisser décourager pour autant. Tant pis s'il ne se montrait pas coopératif. L'essentiel était qu'il se décide à ouvrir cette fichue porte.

Elle se préparait à coller sa bouche contre le panneau de bois pour négocier, lorsqu'un soupir étouffé lui parvint ; la clé tourna dans la serrure.

Qu'il fût ou non content de la voir n'avait, au fond, que peu d'importance. Car il suffit à Nicky de poser les yeux sur la haute silhouette de Rafael pour qu'elle se sente aussitôt submergée par une onde de désir qui la laissa toute tremblante.

Le souvenir du baiser qu'il lui avait donné s'imposa à son esprit, et le souffle lui manqua. Son regard s'attarda sur la main qu'il appuyait contre le chambranle, et aussitôt elle l'imagina courant sur son corps doré par le soleil andalou. Elle avait l'impression qu'une véritable fournaise faisait rage en elle, et un besoin sourd se noua au creux de son ventre. La tête lui tourna.

Dieu du ciel ! S'il lui fallait la preuve que sa libido était en état de marche, elle venait de l'avoir.

Prenant une profonde inspiration, elle cligna des yeux pour chasser les images érotiques qui l'habitaient.

— Salut ! lança-t-elle d'une voix un peu trop haut perchée à son goût.

— Nicky…

Elle préféra ne pas tenir compte du manque d'enthousiasme manifeste avec lequel elle était accueillie.

— Rafael. Comment allez-vous ?

— Très bien.

— Puis-je entrer ?

Rafael fronça les sourcils, et Nicky se demanda s'il

n'allait pas lui claquer la porte au nez. Elle fut soulagée de le voir reprendre son attitude hautaine — qu'elle trouvait toujours aussi étonnamment sexy — et s'effacer pour la laisser passer.

— Je vous en prie.

En passant devant lui, Nicky ne put s'empêcher de le frôler comme par mégarde. A sa grande satisfaction, elle vit qu'il tressaillait.

Excellent, se dit-elle. Rafael pouvait bien affecter une indifférence distante, il demeurait aussi sensible qu'elle l'était elle-même à l'incroyable alchimie qui existait entre eux.

— Où avez-vous trouvé mon adresse ? questionna-t-il d'un ton de reproche.

— C'est Gaby qui me l'a donnée.

— Mais vous n'avez pas sonné à l'Interphone. Comment avez-vous pénétré dans l'immeuble ?

— Avec votre voisin de l'étage au-dessous. Un homme charmant. Il parle parfaitement l'anglais.

Rafael croisa les bras sur sa poitrine et s'appuya à la console de l'entrée, fixant Nicky de ce regard impénétrable qui n'avait plus pour effet de la mettre mal à l'aise, mais faisait désormais courir dans ses veines une délicieuse chaleur.

— Cela tombe bien, dit-il avec ironie. A mon tour de vous demander comment vous vous portez.

— A merveille.

Rafael la détailla de la tête aux pieds d'un regard nonchalant qui donna l'impression à Nicky que le moindre centimètre de sa peau brûlait d'un feu inextinguible. Lorsqu'il eut enfin relevé la tête, avec la même lenteur appuyée, elle était au bord de se jeter à son cou.

— C'est ce que je constate, dit-il. Vous êtes vraiment sup…

Il s'interrompit, et se reprit.

— … en pleine forme. Puis-je vous offrir à boire ?

Sans attendre sa réponse, il se redressa et prit ce que Nicky imagina être la direction de la cuisine.

— J'apprécierais quelque chose de frais, répondit-elle en lui emboîtant le pas, bien qu'il ne l'y ait pas invitée. Il fait si chaud !

Rafael ouvrit le réfrigérateur et se pencha pour prendre une carafe de jus d'orange, ce qui offrit à Nicky une perspective tout à fait attrayante sur sa plastique.

— Oui, marmonna-t-il en se redressant. *Très* chaud.

Avec un petit frisson de plaisir, Nicky devina qu'il ne parlait pas uniquement de la température extérieure.

Il lui tendit un verre.

— Merci, dit-elle avant de prendre une longue gorgée. C'est très rafraîchissant !

Tout le temps où elle avait bu, elle avait senti son regard s'attarder sur elle. Il ne bougeait pas, et seule la crispation d'un muscle le long de sa mâchoire révélait son trouble.

— Eh bien, reprit-elle en tournant sur elle-même, quel bel appartement !

Dans l'immense pièce sans cloisons, où la cuisine n'était séparée de la partie séjour que par un comptoir, tout était d'un luxe confortable et décontracté. C'était un endroit où il devait faire bon vivre, se dit Nicky.

— Oui, acquiesça Rafael, il est agréable. Et proche de mon lieu de travail. C'est pratique.

Mais l'heure n'était pas au bavardage, comprit Nicky en plongeant son regard dans les deux lacs verts qui la fixaient avec une expression impénétrable.

Un silence pesant s'installa, et elle eut l'impression qu'elle allait littéralement prendre feu.

Ils demeurèrent immobiles, leurs regards rivés l'un à l'autre, dans une tension de plus en plus insoutenable. L'air, autour d'eux, semblait saturé d'électricité.

Lassée du mutisme que lui opposait Rafael, Nicky se décida à parler.

— Donc, lança-t-elle avec un grand sourire, je suppose que vous vous demandez ce qui m'amène.

— J'imagine que ce n'est pas juste pour parler du climat et visiter mon appartement, répliqua Rafael d'un ton d'ennui profond.

— C'est exact. Tout d'abord, je tenais à vous dire que votre attitude en quittant le *cortijo* sans prendre congé était particulièrement impolie.

— Vous avez raison. Je vous prie de m'en excuser.

— J'accepte vos excuses. Ensuite, je voulais m'assurer que vous étiez en bonne santé. Lorsque j'ai parlé à Gaby, au téléphone, elle semblait avoir à votre égard des intentions tout à fait belliqueuses.

Une lueur fugitive passa dans le regard de Rafael, mais Nicky n'eut pas le temps d'en comprendre le sens.

— Comme vous le voyez, je me porte comme un charme. Cependant, il vous aurait suffi d'un coup de téléphone pour être rassurée à mon sujet.

— Certes. Quoi qu'il en soit, cela ne m'aurait pas permis de me livrer à la petite expérience qui est la véritable raison de ma visite.

— C'est-à-dire ?

Il n'était plus temps de tergiverser, résolut Nicky. Rafael s'obstinait à ne pas trahir la moindre émotion. Aller droit au but mettrait peut-être à bas cette armure d'indifférence. Elle prit une profonde inspiration, redressa les épaules, et planta son regard dans le sien.

— En fait, voyez-vous, je voudrais que nous reprenions les choses là où nous les avions laissées. Vous vous souvenez ? Ce baiser...

Lorsque, à travers le judas, Rafael avait vu Nicky sur le palier, lui souriant et lui faisant un petit signe de la main, encore plus bronzée mais aussi ravissante que dans son souvenir, il s'était demandé pourquoi le sort lui était à ce point contraire. Peut-être avait-il commis quelque faute, dans une vie antérieure, qu'il lui fallait expier ?

Au moins, cette fois, Nicky n'était pas armée d'un exemplaire de *Don Quichotte*. Cependant, le choc qu'il avait éprouvé en la voyant n'en était pas moins dévastateur.

Un instant, il avait caressé l'idée de repartir sur la pointe des pieds s'enfermer dans son bureau. Impossible ! N'avait-il pas pris trop peu de précautions, en approchant de la porte, pour faire croire qu'il était absent ?

La seule solution était de prendre son courage à deux mains, et de lui ouvrir.

Quel risque y avait-il à cela ? Certes, Nicky Sinclair aurait pu faire tourner la tête à n'importe quel homme. Mais pas à quelqu'un doté de défenses aussi inattaquables que les siennes !

En pleine forme, moulée dans une robe qui soulignait ses formes délicieuses, juchée sur des sandales compensées qui ajoutaient quelques centimètres à sa silhouette naturellement élancée, elle était la tentation incarnée.

Mais pas pour lui. Oh ! non !

Le temps et la distance lui avaient permis de reconstruire autour de lui de véritables fortifications que rien ne saurait entamer.

Certes, Rafael avait été un peu déstabilisé de la trouver sur son palier. Mais un instant seulement.

Et s'il avait failli lâcher son verre de saisissement en l'entendant réclamer un baiser, c'était juste parce qu'il n'en revenait pas d'une telle audace.

— Quel baiser ? interrogea-t-il d'un air dégagé.

Nicky haussa un sourcil dubitatif, et lui lança un coup d'œil qui laissait entendre qu'elle n'était pas dupe de sa décontraction.

— Celui que vous m'avez donné au bord de la piscine.

— Oh ! ça ! lança Rafael, comme si ce baiser n'avait pas hanté son esprit pendant toute la quinzaine écoulée.

— Exactement. Alors, qu'est-ce que vous en pensez ? Si on recommençait ?

Rafael s'appliqua à sourire avec toute la condescendance possible.

— Je ne nie pas que la proposition soit intéressante, répondit-il. Et flatteuse. Mais c'est non.

La tête inclinée, comme si elle essayait de bien saisir le sens de sa réponse, Nicky se mordilla la lèvre.

Une fichue habitude qu'elle avait là !

— Non ? Et pourquoi ?

Bonne question, se dit Rafael tandis que, malgré lui, il laissait son regard s'attarder sur cette lèvre délicieusement renflée. Il se ressaisit, et releva les yeux.

— J'avoue que je suis un peu surpris par votre demande.

— Ah bon ?

Voyons, songea Rafael, Nicky ne pouvait avoir oublié avec quelle froide indifférence elle avait réagi lorsqu'il l'avait embrassée.

— Si je me souviens bien, répliqua-t-il, vous n'aviez pas semblé y prendre beaucoup de plaisir.

— C'est vrai. Mais les choses ont changé. Est-ce que votre refus est uniquement motivé par le manque d'intérêt que j'ai montré ce jour-là ?

— Oh ! pas seulement !

— Alors, qu'y a-t-il d'autre ?

Pendant une seconde, Rafael demeura hébété. Par où devait-il commencer ? Comment expliquer ?

— Je n'ai pas envie de recommencer, c'est tout. D'ailleurs, je ne vois pas pourquoi il en serait autrement. Cela n'a pas été un succès, que je sache.

— Je vous promets que cela se passera mieux, cette fois-ci.

— Non, parce qu'il n'y aura pas de nouvelle tentative.

Nicky haussa les sourcils, et le dévisagea en silence.

— Vous en êtes sûr ? finit-elle par demander. Vous me

sembliez plutôt tendu pour un homme qui refuse quelque chose d'aussi innocent qu'un petit baiser.

Innocent ? Un baiser de Nicky ? Rafael haussa les épaules pour montrer qu'il était détendu.

— Vous vous trompez. Cela ne m'intéresse plus. Tout bêtement. L'attirance que j'ai éprouvée pour vous n'a pas duré. Je suis passé à autre chose.

— Ah, oui, j'oubliais. Ce n'était qu'un coup de tête. Les effets du soleil, ou du vin… Cela dit, si je ne vous attire plus, pourquoi ne cessez-vous de fixer ma bouche comme si vous mouriez d'envie de la prendre ?

Soudain, les défenses de Rafael n'étaient plus aussi solides qu'il l'avait cru. Elles étaient même assez chancelantes. Il serra les dents, dans l'espoir de contenir cette montée de désir qui les ébranlait dangereusement. Dire qu'il était persuadé d'en avoir fini avec ça !

— Je ne regarde pas votre bouche. Ce doit être un effet d'optique.

Nicky hocha la tête.

— Certainement, dit-elle. Tout comme la façon dont vous serrez les poings n'est rien d'autre qu'une illusion. Ainsi que ce muscle qui se contracte le long de votre mâchoire inférieure. Sans parler de…

Elle abaissa son regard vers le renflement qui tendait l'étoffe de son short, et Rafael reposa brutalement son verre sur le comptoir.

Pourquoi fallait-il que son corps le trahisse ainsi ?

— D'accord, dit-il, admettons que j'aie envie de vous. De vous embrasser. Ou bien même de vous faire l'amour. Sauvagement. Là, à même le sol de cette cuisine. Pourtant, je ne ferai rien de tout cela. Et je ne me laisserai pas embrasser, non plus.

Les yeux écarquillés, Nicky le regardait avec l'air de ne pas comprendre. Et le choc lui faisait entrouvrir en une moue sensuelle sa bouche trop attirante.

— Mais pourquoi ? souffla-t-elle.

— Parce que je sais que vous n'allez pas bien. Et je ne veux pas profiter de votre vulnérabilité.

— Qu'est-ce que Gaby vous a raconté ?

— Qu'il fallait vous laisser tranquille, parce que vous avez besoin de repos.

— Mais je *suis* reposée ! Je n'ai pas été très en forme, ces derniers temps. Cela explique, d'ailleurs, mon attitude lorsque vous m'avez embrassée. Mais je vais beaucoup mieux. Et, depuis quelques jours, je ne cesse de penser à vous. A ce baiser. Et chaque fois, il y a comme une étincelle. Là.

Elle plaqua une main sur son bas-ventre.

— Qu'est-ce que vous voulez que ça me fasse ? Vous pouvez bien partir en fumée, cela m'est égal !

Nicky laissa échapper un soupir exaspéré.

— Rafael, c'est *quoi* le problème ?

Rafael se passa la main dans les cheveux, d'un air accablé.

— Vous êtes une amie de Gaby. Voilà le problème !

— Oui. Et alors ?

— Alors, je ne drague pas les copines de mes sœurs. C'est arrivé une fois, et cela m'a suffi.

— Que s'est-il passé ?

— Ce qu'il s'est passé ? J'ai épousé l'amie en question. Voilà, ce qui s'est passé ! Par-dessus le marché, les choses ont mal tourné entre elle et moi, et j'ai bien failli perdre à la fois ma sœur et ma femme. Est-ce que vous croyez que j'ai vraiment envie de courir ce risque une nouvelle fois ?

Avec une moue pénétrée, Nicky se tapota la bouche de l'index sans cesser de le fixer.

— Ecoutez, Rafael, il me semble que vous allez chercher trop loin. Je ne vous propose pas le mariage. Tout ce que je demande, c'est un petit baiser. Pas plus.

Pas plus ! Elle se moquait de lui, ou elle était stupide ?

— Parce que vous croyez qu'on en resterait là ?

Elle eut un sourire désarmant.

— A vrai dire, je ne détesterais pas que les choses aillent plus loin. Cela me permettrait de voir si j'ai bel et bien retrouvé tout mon appétit de vivre. Mais soyez rassuré : je n'ai aucune intention d'avoir une liaison sérieuse. Vous connaissez mon goût pour la vie d'aventure. Aucune place pour une relation durable, dans ce genre de vie. Alors, vous n'avez pas à vous faire de souci : ni vous ni vos liens avec votre sœur ne sont menacés.

Elle s'approcha et leva son visage vers lui. Dans son regard gris-bleu, Rafael vit briller le désir. Irrésistible.

— Allons, Rafael, reprit-elle en posant la main sur sa poitrine, ne me dites pas que vous n'avez pas envie de savoir comment ça serait… Un vrai baiser. Où nous prendrions plaisir, tous les deux…

Rafael eut l'impression de recevoir un coup au plexus. Sentir Nicky si proche suffit à faire voler en éclats tout ce qu'il lui restait de pensée rationnelle.

Seul un besoin avide, primitif, le ravageait, faisant battre le sang à ses tempes. La main qu'elle appuyait sur sa poitrine le marquait au fer rouge.

Assailli comme il l'était par l'enivrante douceur de son parfum, par la chaleur et la sensualité qui émanaient de Nicky, les murailles qu'il avait érigées pour se protéger d'elle se fissurèrent inexorablement. Lui seul entendit le terrible fracas qu'elles firent en tombant à ses pieds.

Il serait bien temps, plus tard, d'essayer de comprendre comment ils en étaient arrivés là.

Pour l'instant, il était emporté par l'implacable tourbillon du désir, et il ne pouvait résister davantage.

Avec le sentiment étrange que tout cela était écrit dès l'instant de leur rencontre, Rafael renonça à lutter contre l'évidence.

— Viens, dit-il en attirant Nicky dans ses bras.

10.

Enfin !

Le soulagement envahit Nicky lorsque Rafael l'étreignit avec force et s'empara de sa bouche.

Un moment, elle avait redouté ne pas réussir à briser cette armure de froideur derrière laquelle il se cachait. A croire qu'elle avait perdu tout son pouvoir de séduction !

Mais le beau ténébreux, au flegme imperturbable, était déjà loin. A sa place, Nicky retrouvait celui qui l'avait embrassée au bord de la piscine.

Un mètre quatre-vingt-dix de passion débridée.

Elle entrouvrit les lèvres pour accueillir sa langue impatiente, et se laissa aller contre lui en gémissant.

Rafael passa un bras autour de sa taille, nouant son autre main dans la masse de ses cheveux.

Comme la première fois.

Cependant, la grande différence, c'étaient les enivrantes sensations qu'il faisait naître en elle aujourd'hui. Au contact de sa langue contre la sienne, elle sursauta comme si elle avait reçu une décharge électrique. Une gerbe d'étincelles jaillit en elle. Dans ses veines courait un feu dévorant. La fièvre qui embrasait son bas-ventre gagna irrésistiblement tout son corps.

Oh ! comme cette délicieuse torture lui avait manqué ! Cette ivresse qu'il y avait à éprouver du désir, et à se savoir désirée en retour. Ce tourment entêtant né d'un besoin irrépressible et primitif.

Quel fabuleux plaisir de se laisser ballotter de nouveau par l'océan déchaîné de la passion, de sentir les battements affolés de son cœur, d'être emportée par l'étourdissant vertige des sens !

Pour la première fois depuis des semaines Nicky se sentait enfin pleinement vivante. Vibrant de fougue et d'ardeur, elle se plaqua contre Rafael, l'enlaçant encore plus étroitement, lui répondant avec frénésie.

Après ce qui lui parut durer des heures, ils s'écartèrent l'un de l'autre. Levant son regard vers Rafael, Nicky le vit cligner des yeux.

Ses prunelles, qu'assombrissait le désir, brillaient d'une lueur intense. Elle sentait son cœur battre à l'unisson du sien. Le souffle court, il semblait incapable du moindre geste, du moindre mot.

Ainsi, il était aussi médusé qu'elle l'était elle-même. Nicky s'en réjouit avec une satisfaction instinctive.

— Alors ? murmura-t-elle d'une voix voilée.

Rafael fronça les sourcils, puis secoua la tête comme pour émerger de son hébétude.

— Alors quoi ? interrogea-t-il.

— N'avais-je pas dit que ce serait mieux cette fois-ci ?

Un soupir s'échappa des lèvres de Rafael.

— En effet.

— Et ?

— Et c'était mieux.

Poussée par un besoin de séduire qu'elle n'avait plus connu depuis de longs mois, Nicky inclina la tête de côté avec une moue aguicheuse.

— C'est tout ?

Un léger sourire flotta sur les lèvres de Rafael, et il haussa un sourcil narquois.

— *Vraiment* mieux, insista-t-il. Je ne sais pas si cela pourrait l'être davantage.

— On peut toujours s'améliorer, souffla Nicky en lui tendant ses lèvres.

Cette fois, lorsque Rafael écrasa sa bouche sur la sienne, Nicky sentit s'évanouir les derniers vestiges de lucidité qu'il lui restait. Avec autorité, il lui inclina la tête en arrière, pour donner libre cours à son exaltation.

Sans s'écarter de ses lèvres, il fit remonter sa main le long de sa hanche, jusqu'à venir la refermer sur le renflement de son sein dont il caressa avec douceur la chair incroyablement sensible, lui arrachant un gémissement de plaisir. Soudain, ce fut comme si une infinité de petites décharges électriques parcouraient tout son corps alangui contre lui.

Oh ! c'était divin, songea Nicky, étourdie de sensations toutes plus délicieuses les unes que les autres. D'instinct, elle se cramponna à son cou, et se cambra pour mieux éprouver contre son ventre la puissance de son érection.

Lorsqu'elle se lova contre lui, Rafael étouffa une plainte. Puis resserrant son étreinte, et l'embrassant follement, il lui fit perdre pied.

Lorsqu'ils reprirent enfin leur souffle, Nicky avait l'impression d'avoir été vidée de toute son énergie. Si Rafael ne l'avait pas tenue dans ses bras, elle aurait pu s'effondrer.

— Seigneur ! lâcha-t-elle d'une voix haletante, j'aimerais bien voir ce que cela donnerait si nous cherchions à faire mieux.

D'un geste empreint de douceur, Rafael écarta une mèche de son visage, et la fit passer derrière son oreille.

— Ah oui ?

La surprenante tendresse de cette attitude, associée à la promesse sous-entendue dans sa voix, et à la lueur polissonne qui s'était allumée dans son regard, fit s'emballer le pouls de Nicky. Elle ne put que hocher la tête en silence.

Rafael desserra son étreinte, et la poussa très doucement en arrière.

— Eh bien, pour cela tu n'as qu'à ôter ta robe.

Nicky sentit le désir rugir en elle comme un ouragan, et elle crut que ses jambes allaient céder sous elle.

— Là ? Maintenant ? questionna-t-elle dans un souffle.

— Maintenant.

La sensualité du sourire dont Rafael la gratifia la fit fondre.

Comment aurait-elle pu résister à cette injonction, quand il l'envoûtait aussi totalement ?

Tout disparut dans un brouillard flou, dont n'émergeaient que Rafael et le regard qu'il posait sur elle.

Abandonnant ses sandales, Nicky porta presque machinalement les mains à son côté pour faire glisser la fermeture Eclair de sa robe. Rafael ne la quittait pas des yeux, et jamais elle n'avait eu à ce point conscience de son corps.

Dans le silence écrasant de cet après-midi d'été, le petit bruit de la fermeture à glissière résonna étrangement. Le frottement sur sa peau de la fine étoffe de sa robe fit courir un frisson le long de son dos. Elle ne put empêcher ses mains de trembler lorsqu'elle repoussa les bretelles de ses épaules pour laisser le vêtement tomber à ses pieds, telle une corolle d'or pâle.

Elle sentit son cœur s'emballer, car Rafael avait dégluti avec peine, et balayait maintenant son corps presque nu d'un regard appuyé.

Sous cet examen minutieux, Nicky fut parcourue d'un frisson irrépressible. Un incendie s'alluma en elle, avec une telle force qu'elle n'aurait pas été étonnée de voir ses sous-vêtements de dentelle prendre feu.

— Et maintenant ? interrogea-t-elle, secrètement ravie de le laisser prendre les choses en main.

— Va t'asseoir sur le canapé, souffla-t-il d'une voix sourde.

Nicky sourit, en comprenant que Rafael avait beau essayer de résister à leur attirance mutuelle, il était tout autant qu'elle à la merci des événements.

Le cœur battant, elle fit volte-face et se dirigea vers le vaste canapé de velours brun. Presque à son insu, sa démarche se fit ondoyante, et le balancement de ses hanches répondit à un instinct de séduction venu du fond des âges.

Comme engourdie par le désir, elle se laissa tomber sur les coussins moelleux.

La bouche sèche, tandis qu'une moiteur brûlante inondait le cœur de son intimité, elle écarta légèrement les cuisses.

— Ça te va, comme cela ? questionna-t-elle dans un souffle.

— Tout à fait.

— Alors, pourquoi ne viens-tu pas ?

— Hmm, je crois que j'ai envie de savourer un peu ma vengeance.

Nicky fut parcourue d'un délicieux frisson.

— Ta vengeance ? Aurais-tu l'intention de me faire payer pour le fiasco de notre premier baiser ?

— Tout à fait !

Cela devenait très excitant, songea Nicky.

— Et comment ? questionna-t-elle.

— Je veux t'entendre me supplier.

— Mais je n'ai jamais supplié qui que ce soit !

Dans sa poitrine, Nicky sentit son cœur battre plus fort. C'était comme si elle était sur le point de défaillir. Mais à l'instant où elle croyait ne plus pouvoir supporter une telle tension, Rafael s'écarta du comptoir où il était appuyé, et s'avança vers elle de son pas de félin, le regard vrillé au sien.

Il s'immobilisa, la dominant de toute sa taille, puis se laissa tomber à genoux. Tout doucement, il lui écarta les jambes et se glissa entre elles. Au comble de l'excitation, Nicky dut se retenir pour ne pas se cramponner à ses épaules, et l'attirer plus près.

Avec une lenteur insupportable, Rafael se pencha vers elle. Les effluves épicés de son parfum montèrent jusqu'à ses narines, lui faisant perdre l'esprit.

Lorsque, enfin, il effleura fugacement ses lèvres elle faillit s'évanouir de soulagement. Elle avait été à deux doigts de supplier, comme il en avait émis l'idée.

Rafael ne tarda pas à délaisser ses lèvres. Il laissa sa bouche glisser le long du cou de Nicky, puis sur sa poitrine, déposant les perles d'une pluie ardente à chacun des endroits où il l'appliquait. En même temps, ses mains remontaient peu à peu le long de ses cuisses, et Nicky sentit ses muscles frémir sous leur caresse. Lorsqu'il mordilla un mamelon dressé, à travers la dentelle du soutien-gorge, elle retint son souffle.

Il la prit par les hanches pour l'attirer vers lui, sans que ses lèvres ne cessent de descendre de plus en plus bas sur son ventre.

Nicky ferma les yeux. Vaincue, elle laissa sa tête retomber en arrière. Contrairement aux hommes qu'elle avait connus avant lui, Rafael n'avait nul besoin qu'elle le guide. Il semblait même savoir comment la satisfaire, songea-t-elle tandis qu'il suivait de la pointe de sa langue la lisière de son slip.

Mais c'était trop. Elle ne pouvait plus penser. Cambrée vers Rafael, Nicky serra les poings contre les coussins pour se retenir de prendre sa tête entre ses mains et l'attirer là où elle avait tant envie qu'il pose les lèvres.

Elle geignit, et sentit qu'il souriait contre sa peau. Puis, il passa ses mains sous ses fesses pour la soulever du canapé, et agripper son slip qu'il fit descendre. Une fois qu'il l'en eut débarrassée, il reprit ses caresses et ses baisers. A l'intérieur de ses genoux, tout d'abord, puis de ses cuisses, jusqu'à atteindre l'endroit secret où brûlait ce besoin dévorant qui la faisait trembler. Alors, Rafael dévoila sa féminité, lui arrachant un petit cri étouffé.

Nicky était prête à se résoudre à implorer, mais à cet instant elle sentit la langue de Rafael s'immiscer entre ses pétales humides et, vague après vague, un incoercible plaisir déferla en elle, la menant au bord du vertige.

L'habileté de cette bouche experte mit tous ses sens à feu et à sang. Elle n'existait plus que pour sentir la langue de Rafael au cœur de sa fleur intime.

Son corps, affamé par une trop longue frustration, était pris dans un tourbillon de sensations vertigineuses.

Rafael glissa un doigt, puis deux, dans la chaude moiteur de son sexe offert, et trouva son point G sans même hésiter, tout en continuant de lui prodiguer les plus affolantes caresses avec sa langue. Eperdue, pantelante, elle ne s'appartenait plus.

Bien trop tôt à son goût, elle fut emportée par un tourbillon d'émotions, toujours plus haut, toujours plus loin, vers l'extase suprême. Enfin, criant dans un sanglot le nom de Rafael, Nicky fut secouée d'un spasme incoercible tandis qu'explosait en elle un orgasme foudroyant.

Lorsqu'elle cessa de voir une myriade d'étoiles derrière ses paupières closes, elle laissa échapper un interminable soupir.

— Cela faisait longtemps, non ?

Elle ouvrit les yeux sur Rafael qui la contemplait avec un regard brillant d'un désir auquel se mêlaient une indéniable satisfaction et une pointe d'étonnement.

— On peut dire ça, admit-elle d'une voix rauque.

Puis elle rougit, en prenant conscience qu'elle avait dû se montrer un peu trop bruyante…

— Merci, ajouta-t-elle dans un souffle.

— Je t'en prie. Avec plaisir.

— Je crois plutôt que tout le plaisir a été pour moi. Tu ne t'es même pas déshabillé.

— Oh ! rassure-toi. Je n'ai pas dit mon dernier mot. D'ailleurs, toi non plus tu n'es pas tout à fait nue.

Haussant un sourcil, Nicky sourit avec ravissement, tandis que se réveillait en elle une petite flamme.

Sans quitter Rafael des yeux, elle passa les mains dans son dos pour dégrafer son soutien-gorge, qu'elle expédia par-dessus le dossier du canapé.

— Voilà qui est fait, déclara-t-elle. A ton tour, maintenant.

Rafael laissa son regard s'attarder sur sa poitrine nue, et Nicky sentit renaître l'excitation au creux de son ventre à le voir ainsi la dévorer des yeux.

— Tu m'as l'air assez douée pour l'exercice, murmura-t-il. Pourquoi ne t'en charges-tu pas toi-même.

— Où ça ? Dans ta chambre ?

— Je te croyais moins conventionnelle.

— Je ne déteste pas un certain confort.

Rafael lui tendit la main.

— Dans ce cas, dit-il en prenant la sienne, suis-moi. C'est par là.

11.

Oh ! oui, elle avait eu une idée de génie en venant à Madrid !

Debout au pied du lit, contemplant Rafael en se demandant par quoi elle allait commencer pour le dévêtir, Nicky se félicita intérieurement d'avoir eu une si brillante inspiration.

— Est-ce que tu vas rester longtemps à me regarder comme ça ? demanda Rafael. Parce que je suis à un cheveu de te jeter sur le lit pour te posséder. Et, crois-moi, dans ce cas-là je risque de ne pas perdre de temps en raffinements superflus.

A voir son visage tendu, et la façon dont ses prunelles s'étaient assombries, Nicky fut transpercée par une décharge de volupté.

Cependant, elle n'avait aucune intention de se hâter. Maintenant qu'elle avait retrouvé toutes ses sensations, elle était bien décidée à en profiter.

Aussi, retenant sa respiration, elle appuya ses paumes sur le torse de Rafael, et entreprit de caresser doucement les muscles qu'elle sentait tressaillir à travers le T-shirt. Puis elle souleva le vêtement et, se hissant sur la pointe des pieds, elle le fit passer par-dessus sa tête ainsi que ses bras. Lorsqu'elle l'eut laissé tomber à terre, elle reprit sa lente exploration de sa poitrine d'airain.

Incapable de résister plus longtemps, elle inclina la tête pour titiller un de ses mamelons de la pointe de sa langue. Rafael prit une profonde inspiration, et elle sentit tout son corps se tendre sous l'effet du désir.

Dieu du ciel ! Il était absolument sublime !

Le simple fait de lui ôter ses vêtements était source d'une indicible jouissance.

Déglutissant avec peine, Nicky défit la boucle de la ceinture qui retenait le short de Rafael, et le déboutonna. Puis, savourant chaque précieuse seconde, elle en fit peu à peu glisser la fermeture Eclair.

Glissant les mains sous l'élastique de son boxer, elle laissa échapper un gémissement impatient en aidant à libérer son sexe dressé du carcan de l'étoffe. Lorsque Rafael s'en débarrassa complètement, elle recula pour avoir tout loisir de l'admirer.

Quelle splendeur !

Il était, à la fois, mince et doté d'une musculature athlétique. Une impression de puissance contenue émanait de son admirable plastique, et Nicky mourait d'impatience qu'il libère toute cette énergie maîtrisée pour lui faire l'amour.

— Allonge-toi, souffla-t-il d'une voix mal assurée.

Nicky sentit son cœur bondir dans sa poitrine, et fit comme il lui avait été enjoint.

Pouvait-on résister à un homme doté d'un physique aussi éblouissant ? Un homme qui, de plus, savait comment, et à quel moment, faire usage d'autorité masculine, et appréciait d'avoir le contrôle des événements.

En cet instant, à voir la façon dont il la dévorait de ce regard chargé d'une sensualité torride, Nicky était plus que disposée à se soumettre à quelque délicieux supplice qu'il puisse avoir à l'esprit. Il serait bien temps, ensuite, qu'elle prenne sa revanche. Elle ne put retenir un sourire malicieux.

Le regard de Rafael se fit encore plus ardent.

— Voilà une expression qui me semble tout aussi dangereuse que le chant des sirènes, dit-il. Je suis perdu !

Rafael ne semblait pourtant pas décidé à la rejoindre, et Nicky commençait à s'impatienter. Elle avait beau avoir décidé de ne pas hâter les choses, la façon dont il demeurait planté au bord du lit confinait au sadisme ! Elle s'étira avec une nonchalance dont elle espérait qu'elle saurait le faire plier.

— Tu n'as rien à craindre, lança-t-elle d'un ton moqueur. Tu n'es pas marin, et je ne sais pas chanter.

— Ce qui n'empêche pas que tu ne sois dotée de bien d'autres attraits.

— Dois-je en conclure que tu vas te contenter de les contempler ? Ou bien, envisages-tu de te joindre à moi ?

Le sourire espiègle, et les battements de cils dont elle avait accompagné cette déclaration, calquée sur la sienne, semblèrent faire leur effet. Avec une plainte étouffée, Rafael se pencha jusqu'à planter une main de chaque côté de la tête de Nicky, puis s'allongea sur elle.

L'urgence fébrile qu'il mettait soudain dans ses gestes fit monter en elle une irrépressible bouffée de désir.

— Je finis par penser que les raffinements sont *effectivement* superflus, dit-il d'une voix rauque.

— J'approuve à cent pour cent, souffla Nicky à son oreille, se délectant de le sentir peser sur elle.

A peine lui laissa-t-il le temps de finir sa phrase que sa bouche s'emparait de la sienne avec une faim sauvage. Sentir ses doigts se nouer dans ses cheveux, sa langue s'immiscer entre ses lèvres, mit le comble à l'excitation de Nicky. Elle n'était plus qu'un enchevêtrement inextricable de désirs inassouvis, de fulgurances aveuglantes, d'exquises tensions…

Elle laissa ses mains courir sur les épaules de Rafael, palpant ses muscles tendus. Lorsqu'elle planta ses ongles dans son dos vigoureux, il l'embrassa avec une passion renouvelée. Dans une confusion de gémissements, leurs langues se mêlèrent avec frénésie, tandis que leurs membres s'entrelaçaient.

Le chaos qui régnait dans l'esprit de Nicky était tel qu'elle sentit à peine la main de Rafael abandonner ses cheveux. Jusqu'à ce qu'il enserre un sein dans sa paume. Electrisée par le contact de cette main rugueuse sur la peau sensible de sa poitrine, elle creusa les reins tandis que montaient de sa gorge des lamentations inarticulées. Rafael y répondit en faisant aller et venir son pouce sur le téton gorgé de désir, et une décharge de plaisir explosa au tréfonds d'elle-même.

Mais ce n'était rien en comparaison du grisant supplice auquel il la soumit, lorsqu'il happa entre ses lèvres l'autre mamelon. Elle plongea ses doigts dans ses boucles brunes, et arqua les hanches pour presser son bassin contre son érection. Elle ondulait sous lui en poussant de petits gémissements. C'était plus fort qu'elle.

— Je ne t'ai toujours pas entendue supplier, souffla Rafael tout contre sa poitrine.

Oh ! Seigneur, il s'en fallait de peu, songea Nicky, au bord de défaillir. Mais elle n'était pas prête à rendre les armes. Et surtout, elle n'était pas encore rassasiée des étourdissantes sensations auxquelles Rafael la soumettait. Si elle résistait, il ne manquerait certainement pas de redoubler d'efforts.

— Il va te falloir en faire davantage pour cela, répliqua-t-elle dans un murmure à peine audible.

C'est ce qu'il fit.

Reprenant les affolantes caresses que sa bouche prodiguait tour à tour à chacun de ses seins, il laissa descendre sa main jusqu'à l'endroit où Nicky dissimulait entre ses cuisses serrées la fleur de sa féminité. Délicatement il glissa les doigts en elle. Ce fut comme si la violence d'un courant électrique la transperçait, et elle se serait pliée en deux si Rafael n'avait pesé sur elle de tout son poids.

Implacablement, il poursuivit ses caresses avec une virtuosité telle que Nicky sentit s'exacerber la tension tapie au creux de son ventre jusqu'à avoir l'impression qu'elle allait exploser.

D'incoercibles spasmes de plaisir se propageaient dans tout son corps. Dans ses veines roulaient des flots de lave, tandis que montait en elle une excitation qui se diffusait dans chacune de ses cellules. Elle était au bord de basculer dans un abîme sans fond, ses muscles internes frémissant autour des doigts habiles de Rafael, lorsqu'il s'interrompit et releva la tête.

La frustration arracha un gémissement de protestation à Nicky.

— Pourquoi t'arrêtes-tu ? questionna-t-elle d'une voix rauque.

Il planta dans le sien un regard de braise.

— Je veux t'entendre supplier, Nicky.

Quoi ?

Il voulait jouer à ça ? Elle aussi, elle pouvait.

— Tu n'emporteras pas cela au paradis, dit-elle en allongeant le bras pour refermer ses doigts sur son sexe.

Lorsqu'elle en caressa l'extrémité du pouce, elle sentit Rafael se raidir. Il frémit quand elle exerça une douce pression sur la longueur du membre.

— Attends ! souffla-t-il, en retenant sa main.

Il roula sur le côté pour ouvrir le tiroir de la table de nuit, où il prit un préservatif. Nicky suivit ses gestes du regard, tandis qu'il déchirait l'enveloppe, et enfilait l'étui de latex. Puis, il revint se placer sur elle, et son sexe dressé vint titiller sa fleur secrète, prêt à la pénétrer, mais en différant le moment, comme s'il attendait qu'elle soit complètement à sa merci.

Elle ne pouvait l'être davantage !

Nicky écarta un peu plus les jambes, et releva les hanches à sa rencontre. Alors, avec une plainte gutturale, il se glissa en elle. Une telle sensation de plénitude l'envahit alors qu'elle laissa échapper un murmure étouffé.

— Incroyable, murmura Rafael, qui demeura immobile un instant, avant de se mettre en mouvement.

Très lentement, avec une maîtrise démoniaque, il entreprit un va-et-vient dont Nicky pensa qu'il allait la rendre folle. Ce n'était plus de prendre son temps dont elle avait envie. Ce qu'elle voulait, c'était qu'il accélère ses assauts pour la mener enfin à l'orgasme. Cette jouissance qu'il lui avait refusée lorsqu'il avait exigé, une nouvelle fois, qu'elle le supplie.

Mais il se retenait, leur faisant attendre à tous deux la satisfaction à laquelle ils aspiraient autant l'un que l'autre. Nicky avait beau s'arc-bouter contre lui, onduler follement, il ne renonçait pas à cette lente persécution. Elle prit son visage entre ses mains pour ramener sa bouche brûlante sur la sienne. Le contact de ses lèvres, de sa langue, alluma en elle une kyrielle de flammèches. Mais cela ne changea rien au comportement de Rafael. Elle seule semblait ne plus pouvoir résister à l'offensive du plaisir. Chaque baiser, chaque balancement de ses hanches, chaque mouvement de son corps ne faisait qu'accroître son tourment. Jusqu'à ce qu'elle n'en puisse plus.

— Oh ! Mon Dieu…, gémit-elle, implorante. Rafael, je t'en prie…

Alors, ce fut comme si Rafael renonçait tout à coup à cet infernal contrôle. Il la posséda avec fougue, presque sauvagement, imprimant à ses assauts un rythme implacable.

Ivre d'un plaisir qu'elle sentait monter dans sa chair et dans ses veines, Nicky bascula enfin dans une autre dimension, tandis qu'un feu d'artifice géant se déchaînait en elle.

Elle trembla si violemment, si longuement, entre les bras de Rafael, qu'elle crut perdre conscience. Mais alors, elle sentit qu'en une ultime et impérieuse poussée il atteignait lui aussi le paroxysme du plaisir, avec un cri sourd. Et sans comprendre comment cela était possible, elle jouit de nouveau.

Ils restèrent enlacés plusieurs minutes, sans bouger d'un iota. Quand bien même Rafael, abandonné sur elle, ne lui aurait pas rendu tout mouvement impossible, Nicky en aurait été bien incapable. Comblée au-delà du possible, vidée de toute énergie, elle était aussi faible qu'un chaton, et merveilleusement détendue.

— Oh là là ! fut tout ce qu'elle parvint à énoncer lorsqu'elle eut repris son souffle.

— Tu peux le dire !

Rafael avait la bouche contre son épaule, mais bien qu'étouffée sa voix exprimait la même stupéfaction.

Il se détacha d'elle et roula sur le côté, puis se redressa, en appui sur un coude.

— Heureusement, reprit-il avec un sourire malicieux, que tu t'es décidée à supplier comme je te le demandais.

Nicky le fixa d'un regard étonné.

— Je n'ai rien fait de tel ! J'ai *imploré*, ce qui est tout à fait différent.

— Vraiment ?

— Oui. Tu veux que je te montre ?

En le gratifiant d'une œillade assassine, Nicky poussa Rafael sur les oreillers, et s'installa à califourchon sur lui. Avec satisfaction, elle vit passer une ombre inquiète dans ses yeux verts.

— Tu vas voir…

— J'avoue que tu avais raison, déclara bien plus tard Rafael, quand il recouvra quelque peu ses esprits. C'est tout à fait différent !

Nicky le regarda en souriant.

— Ah, tu vois !

— Contente de toi ?

— Plutôt.

A vrai dire, pensa Rafael, elle avait toutes les raisons

de l'être. L'après-midi qu'ils venaient de passer était en tous points stupéfiant.

Lorsqu'il s'était résolu à la prendre dans ses bras, il avait eu l'intuition que les choses iraient plutôt bien entre eux. Mais rien ne l'avait préparé à un tel embrasement. Combien de fois chacun avait-il joui au cours de ces quelques heures ? Il en perdait le compte !

La nuit commençait à tomber, et Nicky était maintenant assise en tailleur dans le lit. Vêtue d'un T-shirt qu'il lui avait prêté, elle dévorait de bon appétit une tortilla qu'il venait de confectionner. Les cheveux en bataille et les yeux cernés, elle était toujours aussi ravissante, et Rafael sentit le désir se ranimer en lui.

D'où venait ce pouvoir qu'elle avait de lui faire perdre tout contrôle de lui-même ? Et qu'était-ce donc que ce besoin de l'entendre le supplier, venu d'il ne savait trop où ?

Lui qui était d'habitude si maître de lui dans la relation physique. C'était passablement troublant !

— Mais je suis aussi vidée, reprit Nicky en s'étirant. Tu m'as épuisée. Heureusement que j'avais repris des forces au *cortijo*.

Entendant cette remarque, Rafael se remémora que Nicky avait reconnu n'avoir pas été très en forme, ces derniers temps, et sentit la culpabilité le submerger. Etait-ce bien raisonnable de l'avoir soumise à un tel exercice ? Si elle relevait à peine de maladie, il aurait dû se montrer plus prudent.

— Rafael ? lança Nicky d'une voix inquiète. Quelque chose ne va pas ?

Il ne prit pas la peine de répondre.

— Et toi ? questionna-t-il à son tour. Est-ce que tu te sens bien ?

Elle haussa un sourcil interrogateur.

— Pourquoi cette question ? Bien sûr, que je me sens bien. Très bien, même !

— Tu m'as dit que tu avais été malade récemment.

Un instant, Nicky l'observa sans mot dire, rivant au sien son extraordinaire regard gris-bleu. Puis, elle posa par terre l'assiette qu'elle tenait encore.

— Bon ! lança-t-elle, l'air décidé. Je crois qu'il vaut mieux que je te mette au courant. Je n'ai pas été malade à proprement parler. En fait, j'ai souffert de surmenage. J'ai fait un burn-out. Et Gaby m'a aidée.

Bon sang ! se morigéna Rafael en se remémorant Nicky, pâle et défaite, comme il l'avait vue au *cortijo*. Fallait-il qu'il ait été obsédé par le désir qu'il éprouvait pour elle, pour ne pas reconnaître des signes classiques d'épuisement !

— Comment est-ce que cela t'est arrivé ? demanda-t-il.

Nicky parut hésiter un instant, puis elle se décida à répondre.

— Tu te souviens que je t'ai parlé de mon métier de reporter-photographe ?

— Oui. Je suis même allé regarder ton site sur internet. Tes photos sont magnifiques.

— Je te remercie. Bref, il y a à peu près un an, j'étais en reportage au Moyen-Orient pour couvrir une manifestation féministe. Tout se passait bien. J'avais pris quelques très bons clichés, quand des hommes sont arrivés. Ils n'approuvaient manifestement pas ma présence.

Nicky s'interrompit un instant. Au tremblement dans sa voix, Rafael avait eu le cœur serré.

— Que s'est-il passé ?

— A vrai dire, mes souvenirs sont flous. Tout ce que je sais, c'est que tout d'un coup j'ai été entourée d'un groupe d'hommes qui se sont mis à me bousculer et m'ont jetée par terre. J'imagine que mon instinct de survie a été le plus fort. Sans trop savoir comment, j'ai réussi à m'enfuir et à regagner mon hôtel.

— Tu as été blessée ?

— Deux ou trois côtes cassées seulement. Mais j'ai

eu la peur de ma vie. Depuis, je ne me sens pas très à l'aise dans une foule.

— C'est donc la cause de tes cauchemars ?

Nicky opina de la tête.

— Oui. Mais j'en ai moins maintenant.

— Et c'est tout cela qui t'a conduite au burn-out ?

Haussant les épaules, Nicky ébaucha un sourire contrit.

— Pour tout dire, j'ai voulu oublier tout cela en me jetant à corps perdu dans le travail. J'ai accepté tous les reportages qu'on me proposait. Je passais d'un pays à un autre sans me poser où que ce soit. Avec les décalages horaires, j'ai fini par perdre le sommeil. Au bout d'un moment, je suis même devenue incapable de faire la moindre photo. J'ai tout arrêté, et c'est là que j'ai commencé à sombrer.

— Je comprends…, marmonna Rafael.

— C'est comme ça que j'ai atterri chez toi. Pour suivre les conseils de Gaby. Cela t'explique aussi pourquoi je suis restée aussi totalement amorphe la première fois où tu m'as embrassée. J'étais comme morte au-dedans. Mais c'est fini, maintenant. J'ai même recommencé à prendre quelques photos. De tes vignobles, en particulier. J'espère que cela ne t'ennuie pas ?

— Bien sûr que non.

Dire qu'il avait osé se plaindre d'être surmené, et harcelé par les femmes ! se reprocha Rafael *in petto*.

Après ce que Nicky avait subi, c'était ridicule.

— C'est parfait, dit-elle d'un air radieux. Tu vois, tout ce dont j'avais besoin pour me rétablir, c'était le calme de ta ferme andalouse.

En fait, songea Rafael, ce dont Nicky avait besoin, c'était que quelqu'un s'occupe d'elle. Il choisit d'oublier la petite voix dans sa tête qui lui rappelait qu'il n'était pas dans ses habitudes de jouer les saint-bernard.

— Que dirais-tu de poursuivre cette petite cure de repos au *cortijo* en ma compagnie ? proposa-t-il. Nous n'avons aucun projet immédiat, ni l'un ni l'autre. Pourquoi ne pas associer nos deux solitudes quelque temps ?

Nicky eut un petit sourire en coin.

— Tu crois que c'est une bonne idée ?

— Je n'en sais rien. Nous verrons bien.

12.

Apparemment, l'idée n'était pas si mauvaise !

En s'étirant avec précaution pour ne pas réveiller Rafael, Nicky sourit.

Cela faisait une semaine qu'ils étaient revenus au *cortijo*, et il se montrait le plus attentionné des hôtes.

Non seulement il prenait soin de sa santé, mais en plus il n'avait de cesse que de la distraire de toutes les façons possibles. Ce n'était que promenades dans les collines, ou vers les magnifiques plages d'Andalousie. Il l'avait initiée au kite surf, lui avait fait découvrir de merveilleux petits restaurants, et l'avait même embauchée pour le début des vendanges.

Quant à leurs nuits — et leurs siestes — ce n'était qu'une succession de délices !

Jamais Nicky n'avait connu un tel enchantement des sens. Avec Rafael, elle découvrait des plaisirs dont elle ne soupçonnait même pas l'existence.

La générosité qu'il déployait à son égard lorsqu'ils faisaient l'amour, l'intensité qu'il mettait dans leurs étreintes, tout cela la sidérait chaque fois.

Elle se réjouissait d'avoir réussi à lui raconter l'agression dont elle avait été victime. Cela s'était révélé une excellente façon d'éprouver sa résistance morale, nouvellement retrouvée. A vrai dire, se confier à Rafael avait même eu un effet thérapeutique. A tel point que, dans le courant de la semaine, elle avait même eu l'impression d'être soulagée d'un poids. Elle était certaine d'avoir désormais complètement surmonté cet épisode douloureux.

Dire qu'elle avait pu croire — dans les premiers jours de leur rencontre — que Rafael et elle n'avait rien en commun, hormis le fait d'être tous deux liés à Gaby !

Indépendamment de leur extraordinaire entente physique, ils partageaient un nombre étonnant de goûts, dans des domaines aussi variés que l'art, la lecture, les voyages et la gastronomie.

Il n'était pas un sujet qu'ils ne puissent aborder avec passion, dans une harmonie pleine de rires et de complicité.

Pour tout dire, la seule question taboue était l'expérience conjugale de Rafael. Mais, si Rafael semblait se satisfaire de ne jamais aborder la chose, pour Nicky cela tournait à l'obsession.

Plus elle connaissait Rafael, plus elle s'interrogeait sur le mari qu'il avait pu être. Elle mourait d'envie de savoir qui avait été sa femme, comment s'était passée leur vie de couple, et ce qui expliquait leur échec.

Certes, cela ne la regardait pas vraiment. Ce n'était pas comme si elle avait eu des visées matrimoniales sur Rafael. Mais quand même… De multiples interrogations se bousculaient dans sa tête. D'autant plus que l'incapacité dans laquelle elle se trouvait de demander des éclaircissements ne faisait qu'alimenter ses fantasmes.

Elle ne doutait pas que Rafael n'ait été un époux protecteur, passionné, fidèle. Et attentionné. Oh ! il pouvait bien essayer de se faire passer pour un égoïste, uniquement préoccupé de lui-même ! Nicky savait maintenant qu'il n'en était rien. Tout au long de la semaine, elle en avait eu la preuve. Il suffisait de le voir prendre soin des journaliers venus aider à la vendange. Ou bien reconduire de force Ana, la gouvernante, jusqu'à sa chambre pour soigner le mauvais rhume qu'elle prétendait ignorer.

Et elle-même, ne l'entourait-il pas de milles prévenances ? Nicky savait bien qu'il gardait l'œil sur elle, avec une bienveillance chaleureuse qui la touchait profondément chaque fois qu'elle surprenait son regard posé sur elle.

Cela aurait presque pu la déstabiliser, si elle n'avait eu l'intime conviction que leur relation ne serait que passagère.

Elle était très sincère lorsqu'elle avait dit à Rafael qu'elle ne cherchait nullement un attachement durable. Maintenant qu'elle était redevenue elle-même, il lui tardait de retrouver sa vie de globe-trotter.

D'ici peu, l'un comme l'autre reprendrait son chemin. Rafael regagnerait Madrid, et ses activités d'homme d'affaires. Quant à elle, des propositions de reportages l'attendaient à Paris. Certes, pour l'instant, cette perspective ne la réjouissait pas autant que cela l'aurait dû. Mais c'était seulement parce que l'idée de revenir dans le circuit, après cette longue interruption, la rendait un peu nerveuse.

Rafael bougea, et Nicky fronça les sourcils. Elle devait surtout bien avoir à l'esprit que l'issue de leur histoire était inéluctable. Son séjour au *cortijo* ne tarderait pas à prendre fin. Les journées s'écoulaient dans la plus parfaite béatitude, mais elle ne devait pas s'endormir dans un sentiment de sécurité trompeur.

Déjà, elle ferait mieux de ne pas passer autant de temps au lit avec Rafael. Elle y perdait tout sens des réalités, et toute capacité à prendre du recul.

A cette pensée, elle entreprit de se libérer du drap pour s'écarter un peu de lui.

Avant tout, elle ne pouvait se permettre de s'habituer à une situation aussi agréable. Les habitudes ne cadraient pas avec une vie passée entre chambres d'hôtels et valises, aux quatre coins du monde.

Nicky dut faire un effort pour résister à la tentation de réveiller Rafael de la plus délicieuse manière qui soit. Elle était en train de quitter le lit lorsqu'une main se referma sur son poignet.

— Où vas-tu ? questionna Rafael d'une voix encore ensommeillée.

Elle se tourna vers lui et contempla un instant le désordre de ses boucles brunes, et ce sourire qui la faisait inévitablement fondre.

— Il est peut-être temps de se lever, finit-elle par répondre. L'après-midi est bien avancé.

Rafael se redressa, et caressa son poignet d'un doigt paresseux.

— Et alors ?

Rien ne les pressait. Il n'avait pas tort. Nicky chercha une bonne raison de persister dans son intention.

— J'ai besoin de me dégourdir les jambes, avança-t-elle, bien que ses jambes ne lui eussent jamais rien demandé de tel.

La main de Rafael remonta lentement le long de son bras, y faisant naître la chair de poule.

— D'accord. Je te propose une balade en ville… Tout à l'heure.

Et il l'attira sur le lit. Le baiser langoureux qu'il lui donna réduisit à néant toutes ses velléités de résistance.

Bien plus tard, installé à une table de café, sur une place du centre-ville, Rafael contemplait pensivement Nicky assise en face de lui.

Fallait-il qu'il s'inquiète du tour que prenaient les choses ? se demanda-t-il en jouant avec son verre.

Certes, il y avait matière à s'inquiéter. Par exemple de son total manque d'intérêt pour le travail qui l'attendait à Madrid. Ou bien pour le fait qu'il n'accordait plus la moindre importance à l'amitié qui liait Nicky et sa sœur. Tout bien considéré, ce qui se passait en dehors du périmètre de la propriété le laissait indifférent.

Bref, ce qui relevait de la *vraie* vie.

Ce qui se passait entre Nicky et lui n'avait rien à voir

avec la réalité. Il en était tout à fait conscient. Cela ne tarderait pas à s'achever, et c'était très bien comme cela. Peu importait que ce soit une délicieuse compagne. Ni même qu'elle soit dotée d'un charme envoûtant. Sans parler de la façon dont elle faisait un paradis de chacune de leurs nuits. Bientôt, Nicky rentrerait chez elle, tout comme lui-même. Il n'avait rien à redire à cela.

Alors, pourquoi la perspective de la voir disparaître de sa vie lui laissait-elle un goût amer ? Pourquoi, à cette pensée, son estomac se nouait-il, et un poids étrange pesait-il sur sa poitrine ? Depuis quand l'idée de retrouver Madrid et ses habitudes de célibataire ne l'attirait-il plus du tout ?

Par-dessus ses lunettes de soleil, il jeta un coup d'œil à Nicky et vit un sourire un peu mélancolique flotter sur ses lèvres.

Au fond, songea Rafael, qu'est-ce qui les obligeait à mettre un point final à leur histoire ? Bien sûr, Nicky lui avait clairement signifié qu'elle n'avait que faire d'une liaison durable. Mais elle voulait juste dire qu'elle n'avait pas l'intention de se fixer où que ce soit. Ce qu'il n'exigerait jamais d'elle. C'était précisément son indépendance, son autonomie, et sa passion pour son travail qui le séduisaient.

Sur ce point, ils s'accordaient à la perfection. Qu'est-ce qui leur interdisait donc de poursuivre une relation torride, quand bien même elle ne serait qu'intermittente ? Pourquoi ne pas lui faire une telle proposition ? Il verrait bien comment Nicky réagirait…

— Est-ce que ta femme se plaisait ici ?

Rafael se figea lorsque la question de Nicky l'arracha à ses réflexions. Sa *femme* ? Pourquoi diable lui parlait-elle de sa femme ? Et pourquoi maintenant ?

Les sourcils froncés, Nicky avait rougi légèrement. Il eut l'impression qu'elle avait lâché cette question presque malgré elle. Il aurait préféré qu'elle évite ce sujet, car ce n'était pas quelque chose qu'il aimait évoquer. Cependant, il pouvait difficilement faire mine de ne pas avoir entendu.

— Ma femme ? répéta-t-il. Elle ne venait jamais ici. La vie citadine lui convenait mieux.

— Comment s'appelait-elle ?

— Marina.

— A quoi ressemblait-elle ?

— Blonde. Jolie.

— Ça, je m'en doute !

— Elle était aussi capricieuse, et n'avait pas un caractère facile. Nous n'avons pas réussi à nous entendre.

— Ce qu'on peut imaginer, puisque vous avez divorcé.

Rafael haussa les épaules.

— Voilà. C'est tout.

A son grand soulagement, il vit que Nicky ne semblait pas donner suite. Peut-être avait-elle admis ses réticences, et allait-elle le laisser tranquille ?

Cependant, elle se racla la gorge, et enleva ses lunettes de soleil.

— Je ne trouve pas cela très juste, lança-t-elle en croisant les bras d'un air déterminé. Tu sais *tout* de mon histoire, et tu te refuses à parler de la tienne. Je ne suis pas d'accord !

Rafael eut un sourire forcé.

— La grande différence entre toi et moi, dit-il, c'est que tu t'es confiée de ton propre chef, alors que tu essaies de me tirer les vers du nez. Je n'aime pas parler de mon mariage.

— Cela te ferait pourtant du bien. C'est une excellente thérapie.

— Je n'en ai pas besoin.

Nicky lui décocha un coup d'œil perspicace.

— C'est ce que tu crois ! lança-t-elle. Pourtant on peut s'étonner que tu aies autant de mal à aborder le sujet, aussi longtemps après. Comme il paraît curieux que tu sois encore à ce point hostile à l'idée de sortir avec les amies de tes sœurs.

Quand allait-elle arrêter cette psychanalyse sauvage !

s'indigna intérieurement Rafael en serrant les mâchoires. D'accord, ses remarques étaient frappées au coin du bon sens, il ne pouvait le nier. Et il ferait mieux de s'exécuter, et de raconter lui-même son histoire, s'il ne voulait pas lui donner raison.

— C'est bon, dit-il en prenant une attitude dégagée, qu'est-ce que tu veux savoir ?

Pour autant qu'elle soit désireuse d'en savoir plus sur le passé de Rafael, Nicky n'avait nullement eu l'intention de mettre cela sur le tapis à ce moment précis.

Cependant, les invités d'une noce étaient en train de se rassembler devant l'église, de l'autre côté de la place, et elle en était venue à se demander si c'était là que Rafael s'était marié. Le vin et la chaleur aidant, elle avait formulé sa question avant même de réaliser ce qu'elle faisait.

Et voilà que Rafael allait enfin satisfaire sa curiosité.

— Pourquoi ne prends-tu pas les choses au début ? suggéra-t-elle.

Les mâchoires serrées, Rafael sembla rassembler son courage.

— C'est ma sœur Elena qui m'a présenté Marina lors d'une fête. C'était sa meilleure amie. Nous nous sommes fréquentés pendant trois mois, puis nous nous sommes mariés.

Nicky écarquilla les yeux. Une telle précipitation ne correspondait pas à l'image qu'elle se faisait d'un Rafael soucieux de toujours maîtriser les événements de sa vie.

— C'était rapide !

— Avec du recul, bien trop rapide.

— Combien de temps êtes-vous restés ensemble ?

— Deux ou trois ans seulement. Dès la fin de notre lune de miel, il était évident que nous n'avions rien en commun. Enfin…, hormis une seule chose.

Il s'interrompit en se frottant le menton d'un air pensif,

et Nicky regretta presque de l'avoir obligé à parler. Elle pouvait difficilement l'entendre évoquer cette « seule chose », sans éprouver un pincement de jalousie.

— Quel âge aviez-vous ? interrogea-t-elle pour faire diversion.

— J'avais vingt-trois ans, et Marina vingt. Nous étions bien trop jeunes. Il n'avait pas manqué de gens pour nous mettre en garde. Mais je suis aussi peu doué pour écouter les conseils que pour en donner. De plus, je rentrais juste d'Harvard, persuadé de tout savoir. Toujours est-il que notre relation n'a pas tardé à se détériorer. Nous ne cessions pas de nous disputer. Au bout de quelque temps, j'ai fini par vivre à mon bureau, et Marina a pris un amant. Un vrai désastre ! Que je ne suis pas pressé de revivre.

A imaginer Rafael confronté à un tel cataclysme émotionnel, lui d'ordinaire si flegmatique, Nicky sentit son cœur se serrer.

— Et ta sœur ? questionna-t-elle. Comment a-t-elle pris la chose ?

— Mal. Pendant quelque temps, nous avons cessé de nous voir. Cela a été assez… douloureux. Puis, les choses sont rentrées dans l'ordre. Mais ça non plus, je n'ai pas envie de le revivre.

Cela n'avait rien d'étonnant, songea Nicky. Elle comprenait fort bien que Rafael soit, désormais, aussi désireux d'éviter les complications affectives.

Peut-être n'aurait-elle pas dû l'obliger à se replonger dans d'aussi pénibles souvenirs ?

Allons, mieux valait plaisanter un peu pour détendre l'atmosphère.

— Tu n'as pas de souci à te faire avec moi ! lança-t-elle avec un sourire espiègle. Je ne suis pas une beauté blonde, et nous nous quitterons bons amis. De plus, je n'ai aucune envie de sacrifier ma relation avec Gaby. C'est différent !

Pendant quelques secondes, Rafael demeura silencieux, comme absorbé dans ses pensées. Puis il releva la tête et lui décocha le genre de sourire qui la mettait dans tous ses états.

— C'est vrai, dit-il en faisant signe au garçon d'apporter la note, c'est tout à fait différent.

Oui, avec Nicky les choses étaient bien différentes…

Appuyé contre un mur, Rafael regarda la jeune femme se planter au pied des marches de l'église pour prendre des photos.

Quel soulagement qu'il en soit ainsi ! songea-t-il.

En frémissant, il repensa à son histoire avec Marina. Une catastrophe !

Comment n'avait-il pas vu assez tôt que sa future épouse était une enfant gâtée, totalement incapable d'autonomie, couvée par des parents surprotecteurs ?

Il avait été aveuglé par sa beauté, et avait pris pour de l'amour ce qui n'était rien d'autre que le désir forcené qu'elle lui inspirait.

Marina s'était très vite montrée épouvantablement possessive, et jalouse. Elle le harcelait de coups de téléphone dès qu'il était à son bureau, et avait fait le vide autour d'eux tant elle ne concevait une relation que dans la fusion la plus totale. Peu à peu, il n'avait plus supporté son excessive demande affective. Elle l'étouffait. Et ce, d'autant plus qu'il était incapable de combler ses attentes et la rendait malheureuse. Puis, son désir s'était émoussé, et il avait pris conscience qu'il n'éprouvait pas un véritable amour pour elle. D'ailleurs, il n'avait rien fait pour remédier à la situation. Au fond, tout cela lui était égal. Même qu'elle prenne un amant, ou qu'elle demande le divorce.

Non, il avait été bien plus malheureux de voir sa sœur partagée entre sa meilleure amie et son frère, et du chagrin qu'il lui avait causé.

Plus jamais il ne confondrait désir et amour, s'était-il

promis. Plus jamais il ne se laisserait entraîner dans une relation avec une femme qui attendrait tout de lui. C'était une responsabilité bien trop lourde.

De fait, c'était ce qu'il appréciait dans ses rapports avec Nicky. La légèreté. Elle n'avait pas besoin de lui pour y voir clair dans sa vie, et elle n'attendait rien de lui. Et puis, elle lui permettait d'être lui-même. Il n'avait pas à être constamment sur ses gardes, au cas où elle commencerait à exiger plus qu'il ne pouvait donner. Cela n'arriverait jamais.

De nouveau, il caressa l'idée de lui proposer de poursuivre leur histoire une fois que chacun serait retourné chez lui.

Il se préparait à la rejoindre pour lui poser la question, lorsque son regard fut attiré par un groupe de touristes qui s'étaient massés derrière Nicky, et qui écoutaient leur guide sans se soucier d'elle.

Au même instant, il la vit reculer et se heurter au groupe. N'importe qui d'autre que Nicky se serait écarté en souriant, aurait présenté des excuses aux malheureux touristes, et serait venu le retrouver sans plus prêter attention à l'affaire.

Mais il la vit se figer, pâlir, et tituber. En moins de temps qu'il ne faut pour le dire, elle fut entourée de gens qui se pressaient maladroitement pour la soutenir. Des mains se tendirent vers elle.

Un signal d'alarme se déclencha dans la tête de Rafael, mais trop tard. Déjà Nicky lançait un hurlement paniqué. Il s'aperçut qu'elle se débattait et se précipita vers le petit groupe.

Marmonnant quelques vagues excuses, il se fraya un chemin jusqu'à l'endroit où elle se tenait, tremblante, ruisselante de sueur, pâle à faire peur. Passant un bras autour de sa taille, l'autre enserrant ses épaules, il l'enlaça étroitement.

Le besoin de la rassurer, de lui transmettre un peu de sa force l'habitait jusqu'au plus profond de lui-même.

— Tout va bien, murmura-t-il à son oreille. N'aie pas peur. Je suis là. Je te tiens.

13.

« Je suis là ! Je te tiens ! »

Tandis que serrée contre Rafael, Nicky lui emboîtait le pas, elle ne cessait d'entendre ses paroles tourner en boucle dans sa tête.

Oui, il était bien là pour elle.

A l'instant même où elle avait été sur le point de s'effondrer, terrassée par la panique et la conscience qu'elle n'avait pas surmonté son traumatisme autant qu'elle l'espérait, il avait surgi à ses côtés. Tel un chevalier volant à son secours. Solide, bienveillant, et si rassurant !

Elle n'avait même pas eu besoin de l'appeler, de quémander son aide. D'instinct il avait perçu ce qui n'allait pas, et s'était précipité pour la tirer de ce mauvais pas.

Bien sûr qu'il était là…

Et pas seulement au moment de cet incident, songea-t-elle en s'appuyant contre Rafael qui continuait à lui murmurer des paroles de réconfort. A vrai dire, tout au long de la semaine qu'ils avaient passée ensemble au *cortijo*, il avait devancé le moindre de ses désirs, avant même qu'elle ne le formule. Il lisait en elle comme dans un livre ouvert.

Mais n'était-elle pas, elle aussi, capable de sentir toutes les variations de son humeur sans qu'il n'ait besoin de parler ?

A croire qu'il y avait entre eux un lien invisible et mystérieux.

Et cela la dérangeait-il ? Pas le moins du monde ! Bien au contraire, cela la ravissait.

Soudain, tout s'éclairait.

Elle adorait ce sentiment que Rafael lui donnait d'être protégée et entourée de mille attentions. Elle adorait savoir qu'il était à ses côtés pour prendre soin d'elle, et l'éloigner du péril lorsqu'il se présentait.

Comment ne trouvait-elle pas cela étouffant ? Comment n'était-elle pas horrifiée de se complaire ainsi dans une situation qui contredisait toutes les valeurs qu'elle avait toujours défendues ?

Voilà qui mettait à bas toutes ses revendications d'indépendance !

A tout cela il n'y avait qu'une justification : elle était éperdument amoureuse !

Nicky se figea, tandis que son pouls s'emballait et qu'elle était obligée de se cramponner à Rafael pour ne pas s'effondrer sous le choc de cette prise de conscience soudaine.

Bien sûr qu'elle était amoureuse. Cela crevait les yeux !

C'était un sentiment qu'elle n'avait jamais éprouvé jusque-là. Non pas qu'elle y soit réfractaire — ses parents lui avaient toujours fourni l'exemple d'un bonheur conjugal sans nuages. Simplement, elle avait toujours été bien trop occupée pour laisser place à de telles émotions dans sa vie.

Jusqu'à sa rencontre avec Rafael, elle n'avait rien tant apprécié que d'être libre et sans attaches, pour pouvoir mener l'existence vagabonde qui lui convenait.

Mais tout était différent.

Soudain, Nicky comprenait la puissance du sentiment qu'elle éprouvait pour Rafael. Elle aimait tout en lui. Et pas seulement la façon dont il lui faisait l'amour. Il suffisait qu'il lui sourie, qu'il la regarde, ou la frôle pour qu'elle fonde comme neige au soleil.

Si ce n'était pas de l'amour, ça ?

Tout à coup, elle comprenait pourquoi elle avait tant de

mal à imaginer son retour à Paris. Pourquoi son cœur se serrait chaque fois qu'elle pensait au moment où Rafael et elle reprendraient chacun son chemin. Pourquoi elle avait été à ce point émue en voyant le jeune couple sortir, radieux, de l'église, un instant plus tôt.

Après tout, n'en avait-elle pas assez de courir le monde, sans que personne ne se soucie de savoir où elle était et ce qu'elle faisait ?

Oui, il était temps qu'elle se pose quelque part. Qu'elle puisse rêver à des enfants bruns aux yeux verts emplissant le *cortijo* de leurs rires. Elle voulait partager sa vie avec quelqu'un. Et ce quelqu'un, c'était Rafael.

Mais Rafael éprouvait-il les mêmes sentiments ? Pouvait-elle seulement espérer qu'il lui rende son amour ? Est-ce que son empressement à lui faire plaisir signifiait quelque chose ?

Appuyée contre lui — si près qu'elle sentait son cœur battre sous sa joue — Nicky passa au crible tous les petits faits qui lui revenaient à l'esprit : les sourires et les regards de Rafael, ce qu'il lui avait dit, ses prévenances…

Oh ! oui ! Cela ne pouvait signifier qu'une chose : lui aussi était amoureux.

Certes, connaissant un peu mieux les détails de sa vie de couple, Nicky comprenait qu'il soit sur ses gardes. Mais elle saurait lui démontrer qu'il n'avait pas à l'être avec quelqu'un qui le comprenait aussi bien qu'elle.

Baissant les paupières, elle inspira profondément le parfum de Rafael. La tête lui tournait de toutes ces découvertes stupéfiantes, et elle aurait titubé s'il ne l'avait pas encore tenue enlacée.

— Est-ce que tu veux qu'on rentre à la maison ? interrogea-t-il d'une voix douce.

La maison ! Y avait-il mot plus divin ?

Jamais Nicky n'avait connu quoi que ce soit qui y ressemble. Encore récemment, elle aurait frémi à l'idée de ce que cela représentait d'ennui et de routine. Mais voilà une autre de ses opinions affirmées qui volait en éclats. En cet instant, il n'y avait nul endroit sur terre où elle aurait plus rêvé d'être qu'à « la maison ». Avec Rafael.

Brutalement, c'était comme si son univers tout entier se retrouvait sens dessus dessous. Hébétée, Nicky recula pour lever les yeux vers Rafael.

— Oui, s'il te plaît, répondit-elle en souriant.

Dans la voiture qui les ramenait vers le *cortijo*, Rafael se félicita que Nicky ne semble pas décidée à entamer la conversation. Tant de choses se bousculaient dans son esprit qu'il aurait été bien incapable de lui répondre si elle en avait manifesté l'envie.

Il avait l'impression que quelque chose avait changé entre eux. A quel moment exactement, il n'aurait pu dire. Sans doute après qu'il avait volé à son secours.

Il la tenait encore enlacée, lorsqu'il l'avait sentie se raidir dans ses bras. Puis elle s'était davantage appuyée contre lui. Non pas comme elle le faisait lorsqu'elle lui signifiait son envie qu'il l'entraîne dans la chambre. Non. Plutôt comme pour lui faire comprendre qu'elle était simplement heureuse d'être dans ses bras.

Ensuite, elle lui avait souri, avec une expression rêveuse et douce, le regard brillant d'un éclat étrange.

Où donc était passée la Nicky indépendante et insoumise, dotée d'une ténacité à toute épreuve ? Il ne la reconnaissait plus, et cela l'effrayait.

— Rafael, ça va ? Tu es bien silencieux.

Rafael serra le volant à s'en faire blanchir les jointures. Vivement qu'ils arrivent au *cortijo*, et qu'il puisse mettre un peu de distance entre Nicky et lui !

— Ça va. Je réfléchissais, c'est tout.

— A ce qui s'est passé tout à l'heure ? Moi aussi. Merci d'être venu à mon secours.

Voilà, c'était ça ! Cette note de mélancolie songeuse

dans la voix de Nicky, qui lui donnait un étrange pressen-timent, et faisait courir un filet de sueur le long de son dos.

— Je t'en prie. C'est tout naturel.

— Dorénavant, il faudra que je m'assure que tu n'es pas loin, chaque fois que je me trouverai prise au milieu d'une foule.

A ces mots, Rafael sentit son sang se glacer dans ses veines. Certes, Nicky avait insufflé à ses propos une pointe de taquinerie. Pourtant, il était persuadé qu'elle ne plaisantait pas vraiment. Et si c'était le cas, alors il était dans une fichue galère ! Le pire, c'était qu'il n'avait à s'en prendre qu'à lui-même.

Quel idiot il faisait !

Il avait déployé des trésors d'amabilité pour s'assurer que son séjour au *cortijo* lui permettrait de surmonter définitivement le traumatisme qu'elle avait vécu. Il s'était ingénié à lui poser mille questions, pour l'aider à évacuer son stress. Il avait fait de son mieux pour qu'elle prenne appui sur lui. Et c'était ce qu'elle avait fait. Et pas seulement lorsqu'il était venu l'arracher au petit groupe de touristes.

Tout ce à quoi il était parvenu, depuis qu'ils étaient revenus en Andalousie, c'était à créer autour de Nicky un environnement dans lequel il était inévitable qu'elle finisse par se cramponner à lui. A devenir dépendante.

Comment n'avait-il pas vu qu'elle n'allait pas aussi bien qu'elle le prétendait ? Pas plus tard que l'avant-veille, elle s'était réveillée tremblante et en sueur, au petit matin. Sans penser aux conséquences de ses actes, Rafael l'avait prise dans ses bras, et tenue contre lui jusqu'à ce qu'elle finisse par trembler pour une tout autre raison que la terreur du cauchemar.

C'était maintenant à son tour d'être bel et bien terrifié !

Il n'avait rien du chevalier monté sur un blanc destrier que Nicky voyait en lui. Il ne pouvait être cet homme. La responsabilité qu'elle semblait vouloir faire peser sur ses épaules était bien trop lourde pour lui. Il allait forcément la décevoir. Et lui faire perdre tout le bénéfice de son rétablissement.

Plus question de lui proposer de poursuivre leur relation à distance ! Dès qu'ils arriveraient au *cortijo*, il mettrait les choses au point. Cette idylle naissante devait être étouffée dans l'œuf !

— Rafael ?

— Quoi ?

— Je suis amoureuse de toi.

D'accord, la voiture de Rafael — lancée à vive allure dans la nuit noire — n'était probablement pas le lieu le plus adéquat pour lui faire une déclaration d'amour.

Accrochée à la poignée de la portière pour résister à l'embardée que venait de faire Rafael, Nicky se reprocha de ne pas avoir attendu de se retrouver dans un lit avec lui.

Mais aussi, elle n'était pas du genre à temporiser. Lorsqu'elle avait quelque chose à dire, elle le disait !

Trop tard pour les regrets ! Tout ce qu'il lui restait à faire, c'était à s'armer de courage en attendant le verdict de Rafael : l'aimait-il, lui ?

Les minutes s'égrenèrent avec une lenteur désespérante, sans qu'il prononce un seul mot. Les yeux obstinément braqués sur la route, les mâchoires serrées, il ne montrait pas la moindre réaction.

Nicky sentait peu à peu le sang refluer de son corps.

— Tu ne dis rien ? finit-elle par lâcher, quand le silence devint insupportable.

— Que veux-tu que je dise ?

L'absence totale d'émotion dans la voix de Rafael brisa tous les espoirs de Nicky.

— Je ne sais pas, répondit-elle, soudain tremblante. Que tu es flatté… Que tu m'aimes aussi… *Quelque chose* !

— Tu crois être amoureuse. Tu ne l'es pas.

Un instant, Nicky demeura stupéfaite. Avait-elle bien

entendu ? Bouche bée, les yeux écarquillés, elle demeura sans voix. Elle avait imaginé bien des réactions différentes de la part de Rafael, mais pas qu'il mette en doute ses sentiments.

— Quoi ? finit-elle par articuler avec peine.

— Je n'ai rien d'un preux chevalier, Nicky. Ne compte pas sur moi pour prendre soin de toi.

A quoi jouait Rafael ? Jamais elle ne lui avait laissé entendre qu'elle avait besoin d'un chevalier servant pour assurer son bien-être.

— Pourquoi dis-tu cela ? Je n'ai jamais pensé rien de tel !

— Pourtant, n'était-ce pas tes propos, tout à l'heure ? Qu'il faudrait que je sois près de toi chaque fois que tu te retrouverais au milieu d'une foule.

— Je *plaisantais* !

— Pas vraiment. Mais ce n'est pas ta faute si tu as fini par me voir ainsi. C'est la mienne. Je n'aurais pas dû me comporter avec toi comme je l'ai fait cette semaine. C'était une regrettable erreur.

Ce fut comme si un poignard transperçait le cœur de Nicky. Rafael pensait-il ce qu'il venait de lui assener ?

— Comment cela ? souffla-t-elle.

— J'ai fini par te rendre dépendante de moi. Il ne fallait pas.

Les yeux rivés sur le profil de Rafael, Nicky expira très lentement. Toute l'euphorie qu'elle avait ressentie depuis qu'elle avait pris conscience de ses sentiments s'était évaporée, laissant un grand vide dans sa poitrine.

— Tu es vraiment d'une arrogance incommensurable, siffla-t-elle entre ses dents. Rassure-toi, je suis tout à fait capable de prendre soin de moi-même. Et que cela te plaise ou non, je suis bel et bien amoureuse !

D'ailleurs, songea-t-elle, c'était une réalité qui ne l'arrangeait guère, vu la façon dont Rafael réagissait.

— C'est impossible. Nous ne nous connaissons pas depuis assez longtemps. Tu confonds désir et amour.

Mais où donc était passé l'homme attentionné et chaleureux qu'elle avait appris à connaître et à chérir ? se désola intérieurement Nicky.

Soudain, elle fut submergée par le chagrin et la déception. Que Rafael n'éprouve pas les mêmes sentiments qu'elle, cela pouvait se comprendre. Pour aussi douloureux que cela soit. Mais qu'il balaye son amour d'un revers de main, avec cette froideur suffisante, c'était injuste, et inacceptable. Subitement, la colère explosa en elle.

— Comment oses-tu me repousser de cette façon ? s'emporta-t-elle.

— Parce que je sais de quoi je parle. J'ai cru me marier par amour. Ce n'était que du désir que j'éprouvais pour Marina. Est-ce que tu as seulement été déjà amoureuse ?

— Non, mais…

— Alors, comment peux-tu être certaine de tes sentiments ?

Encore une fois, Nicky demeura muette de stupéfaction ; le souffle coupé, comme si Rafael lui avait asséné un coup dans la poitrine. Puis, petit à petit, elle sentit monter un mélange de frustration, de dépit et d'indicible tristesse. Incapable de se contenir davantage, elle explosa.

— Tu veux savoir pourquoi j'en suis certaine ? Eh bien, parce que même si tu ne me faisais plus jamais l'amour, j'aurais envie d'être avec toi. Parce que je t'admire, et te respecte. Et, surtout, parce que la façon dont tu refuses de croire à mes sentiments me crucifie littéralement !

Rafael se figea, mais ne lui jeta pas un regard.

— Je suis désolé si je t'ai fait de la peine, dit-il. Mais c'est sans doute mieux ainsi. Ce serait encore plus douloureux dans quelques mois.

Mon Dieu ! se désola-t-elle *in petto*. Comment avait-elle pu se tromper à ce point sur son compte ?

— Tu veux dire que tu ne ressens rien pour moi ?

— Rien, c'est beaucoup dire. Nous avons une complicité

physique tout à fait étonnante. Mais, c'est ce que je dis : ce n'est pas de l'amour.

— Et si le sexe ne marchait pas aussi entre nous ?

— Oh ! l'intérêt que je te porte ne tarderait pas à s'émousser.

Rafael avait beau s'exprimer avec une froideur terrifiante, la crispation de sa mâchoire montrait clairement qu'il n'était pas aussi indifférent qu'il voulait bien le dire. Une timide lueur d'espoir se fit jour dans l'esprit de Nicky.

— Je ne te crois pas, déclara-t-elle. Tu m'aimes. Sinon, comment pourrais-tu me faire l'amour avec autant de passion, de tendresse ?

— Eh bien, tu te trompes. Je ne t'aime pas.

Exaspérée, Nicky poussa un grand soupir.

— Seigneur ! Je n'ai jamais rencontré quelqu'un d'aussi entêté, et borné. Ni d'aussi lâche !

Sous le choc, Rafael se tourna brusquement vers elle. Ses yeux lançaient des éclairs.

— *Quoi* ?

— Parfaitement, Rafael Montero ! En matière de sentiments, tu es le dernier des lâches. Chaque fois que les choses se compliquent, tu prends tes jambes à ton cou. Tu fuis, plutôt que d'affronter tes émotions, ou celles des autres. N'est-ce pas ce que tu as fait, lorsque ton mariage a commencé à aller à vau-l'eau ? Tu t'es enfermé dans ton travail ! Tu te dérobes même devant ta mère et tes sœurs. Tu te réfugies au fond de ton jardin. Ou plutôt de tes vignes ! A huit ans, cela pouvait se comprendre. A trente-deux, c'est pathétique.

— Tout le monde ne peut pas avoir ton goût du risque !

— Si tu considères qu'accepter de faire face à ses propres émotions, c'est prendre des risques, alors je te plains. Moi, je n'ai pas peur de m'exposer. Toi, tu préfères rentrer dans ta coquille.

— Je me préserve. Ce n'est rien d'autre que de l'instinct de conservation.

— C'est de l'immaturité !

Elle vit Rafael grimacer sous l'affront. Ils étaient arrivés au *cortijo*, et il détacha sa ceinture en toute hâte comme s'il ne pouvait plus attendre pour lui échapper. Nicky ne lui en laissa pas le temps.

— Tu ne te donnes même pas la chance de réfléchir à ce que tu ressens pour moi, poursuivit-elle.

— Je n'ai pas besoin de m'interroger pour le savoir !

Sur ce, Rafael s'extirpa de la voiture, et claqua la portière derrière lui.

Seule dans l'habitacle, Nicky comprit qu'il ne servait à rien de s'obstiner. Cela faisait trop longtemps que Rafael avait étouffé toute émotion en lui. Il était hors d'atteinte.

— Dans ce cas, dit-elle, seule face à l'obscurité, c'est *moi* qui m'en vais, cette fois.

Toutes les accusations que Nicky lui avaient lancées étaient complètement ridicules !

Pourquoi n'aurait-il pas le droit de se réfugier dans sa tour d'ivoire, lorsqu'on le harcelait ? Est-ce qu'elle savait ce que c'était d'être persécuté par une famille nombreuse ? Non. Elle était fille unique !

De plus, elle se trompait sur toute la ligne : il n'était certainement pas amoureux d'elle. Ni elle de lui, d'ailleurs. Ils ne se connaissaient que depuis quelques semaines, pour l'amour du ciel !

A grandes enjambées, il se dirigea vers le salon, et alla se servir un cognac.

Bon sang, mais qu'elle s'en aille !

Il ne souhaitait rien d'autre.

Se préserver de ce genre de scène était exactement ce qu'il avait toujours cherché à faire. Si c'était cela, affronter ses émotions, eh bien, il s'en passait !

Il lui faudrait sans doute quelque temps pour oublier

Nicky. C'était tout à fait normal, étant donné la passion qu'ils avaient connue.

Mais, avec un peu de patience, il ne tarderait pas à se féliciter d'avoir échappé au pire.

14.

Avec trois heures d'attente à l'aéroport, le voyage de retour sur Paris fut un véritable cauchemar pour Nicky. Si elle avait eu besoin de motifs pour alimenter sa colère, il aurait suffi de ce retard interminable et du prix hallucinant du billet pris à la dernière minute.

Mais ces désagréments n'étaient pas nécessaires. Il lui suffisait, pour ne pas décolérer, de se remémorer la façon dont elle avait déposé son cœur, et ses sentiments, aux pieds de Rafael, qui les avait piétinés sans le moindre remords.

Au moins elle était débarrassée de ce triste individu ! n'avait-elle cessé de se répéter tout au long du voyage.

Néanmoins, à peine eut-elle refermé la porte de son appartement que toute l'adrénaline qui avait alimenté son énergie disparut comme par enchantement. Et en même temps que sa colère s'évaporait, ses forces l'abandonnèrent.

Avec un gémissement sourd, elle se laissa tomber sur le sol.

Le vide qui s'était creusé en elle ne tarda pas à être occupé par un ouragan de désespoir qui l'emporta tel un fétu de paille. Sans qu'elle puisse les retenir, les larmes inondèrent son visage.

D'accord, elle était débarrassée de Rafael. Mais elle n'en était pas moins aussi éperdument amoureuse de lui qu'avant de quitter l'Andalousie.

Rien ne semblait pouvoir étancher ses larmes. Elle qui ne pleurait jamais d'habitude.

Le visage caché dans les mains, elle revécut cette horrible conversation.

Maintenant qu'elle n'arrivait plus à mobiliser sa colère contre Rafael, c'était à elle-même qu'elle en voulait épouvantablement.

Quelle idée de lui avouer tout à trac qu'elle était amoureuse de lui ! N'aurait-elle pas pu tenir sa langue ?

Qu'est-ce qu'il lui avait pris, aussi, de le bombarder de reproches ? Et comment avait-elle pu imaginer qu'il éprouve les mêmes sentiments qu'elle ? Jamais son attitude ne lui avait laissé supposer rien de tel !

Non. C'était juste cet incident avec le groupe de touristes qui lui avait fait perdre les pédales. Du coup, elle s'était fait tout un film, et c'était ridicule.

Elle s'était comportée comme une idiote. Rafael n'accepterait jamais de la revoir. A cette pensée, son cœur finit d'être réduit en cendres.

Seigneur, si c'était cela être amoureux, Nicky ne pouvait que se réjouir d'avoir évité de connaître un tel calvaire jusqu'à l'âge de vingt-neuf ans. Jamais, même au moment où elle était au fond du trou, elle n'avait connu pareille souffrance.

Combien de temps était-elle demeurée assise par terre, à pleurer et à ressasser sa consternation ? Elle n'en avait pas la moindre idée. Cependant, lorsque enfin elle pensa avoir pleuré toutes les larmes de son corps, des rais de lumière filtraient déjà à travers les lattes des stores.

Avec un long soupir, elle se releva péniblement. A quoi bon s'apitoyer sur elle-même ?

Ce qu'il lui fallait pour commencer, c'était un bon café !

Dans la cuisine, les gestes familiers lui redonnèrent un peu de courage.

D'accord, elle avait fichu en l'air la relation avec Rafael en lui jetant aussi imprudemment son amour au visage. Néanmoins, elle avait découvert au passage qu'il était temps pour elle de se poser quelque part. Et ça, c'était une bonne chose. Pour autant qu'elle ait fait d'incommensurables progrès, elle n'avait retrouvé totalement ni son énergie ni sa sérénité. Peut-être un peu de stabilité ne lui ferait-elle pas de mal ? Cela lui donnerait l'occasion de se retrouver enfin.

Or, elle avait beau être amoureuse de Rafael, elle n'avait pas besoin de lui pour cela. L'idée de changer de vie lui trottait dans la tête depuis quelque temps déjà. Bien avant même de tomber amoureuse. Elle était tout à fait capable de s'atteler toute seule aux changements qu'elle envisageait. D'ailleurs, ne serait-ce pas plus simple, sans avoir à tenir compte des avis et des conseils de quelqu'un d'autre ?

Elle allait se mettre à la tâche sans tarder, se dit-elle en prenant une gorgée revigorante de café. Un peu d'allant et de dynamisme, une pincée d'optimisme, et le tour serait joué !

Ce faisant, elle ne manquerait pas de chasser de son esprit jusqu'au moindre souvenir de Rafael.

C'était franchement ridicule !

Rafael était assis à son bureau, le regard perdu dans le vague, alors que des piles de dossiers s'amoncelaient devant lui.

Laissant échapper un soupir excédé, il se leva pour aller se planter face à la baie vitrée qui offrait une vue époustouflante sur la ville.

Que diable lui arrivait-il ? Pourquoi était-il ainsi incapable de se concentrer ? Et d'où lui venait cette constante nervosité ?

Cela faisait une semaine qu'il avait regagné Madrid, et chaque seconde avait été un véritable calvaire.

Dieu sait qu'il ne manquait pas de travail pour lui occuper l'esprit. Cependant, il ne parvenait pas à se concentrer sur quoi que ce soit. De même qu'il ne mangeait plus, ni ne dormait. A en devenir fou ! Il était d'une humeur de dogue.

La seule chose qui occupait son esprit était la rupture avec Nicky. Il continuait à penser que c'était la meilleure chose qui puisse lui arriver. Alors, pourquoi ne s'en réjouissait-il pas ? Pourquoi ne cessait-il de ressasser les accusations qu'elle lui avait lancées au visage ? Et pourquoi ce sentiment de manque dont il ne parvenait pas à se débarrasser ?

Malgré ses efforts répétés pour l'oublier, malgré les jours qui passaient, Rafael était obsédé par le souvenir de Nicky. Il la voyait sourire. Il entendait sa voix. Il se remémorait cette façon qu'elle avait de mordiller sa lèvre, lorsqu'elle réfléchissait, et qui le rendait fou. Mais surtout, dans son esprit, résonnaient encore les accents furieux avec lesquels elle lui avait envoyé à la figure toutes ces choses affreuses.

Et ce n'était pas faute de chercher à se distraire ! En plus d'essayer — certes vainement — de s'absorber dans son travail, il s'était consacré à sa famille, et à son délassement favori : le jardinage. Mais tout lui avait paru fade et sans intérêt.

Il fallait qu'il réussisse à chasser toutes les pensées négatives qui le tracassaient sous peine de devenir fou !

Le pire, c'était peut-être ce sentiment de culpabilité qui s'était mis à le tarauder au cours de la semaine écoulée.

Une petite voix insistante dans sa tête lui répétait sans fin qu'il s'était comporté comme un rustre avec Nicky. Et aussi que ses accusations étaient peut-être plus fondées qu'il ne voulait l'admettre.

Pourtant, sa réaction lorsque Nicky lui avait avoué son amour était explicable ! Après ce qu'il avait vécu avec Marina, n'importe qui aurait réagi de la même manière.

Il était à bout de forces, tant son esprit était en proie à la confusion la plus éprouvante.

Lutter en vain pour oublier Nicky l'épuisait. Mais le plus harassant, n'était-ce pas ce sentiment diffus qu'il n'arrêtait pas de se mentir à lui-même ? Ou tout au moins qu'il se refusait à regarder la vérité en face ?

Pour la énième fois Rafael se passa la main sur le visage en soupirant.

Et soudain, ce fut comme si quelque chose se brisait en lui. Comme une digue qui cède. La vérité lui sauta au visage.

Oh oui, Nicky avait vu clair en lui !

Elle avait entièrement raison de dire qu'il prenait ses jambes à son cou au moindre obstacle. Chaque fois que la situation se corsait. Que les choses devenaient difficiles.

C'était une stratégie qu'il avait adoptée dès son plus jeune âge. Lorsqu'il en avait eu assez d'être houspillé par ses sœurs et qu'il avait cherché refuge au fond du jardin, décidant de ne plus jamais donner prise à leurs moqueries.

Adulte, il n'avait jamais cessé de réagir de la sorte. C'est ce qu'il avait fait avec Marina, avec sa mère et ses sœurs, avec ses conquêtes. Et pour finir, avec Nicky.

Chaque fois qu'il avait été aux prises avec une situation qui l'engageait au plan émotionnel, il avait pris la fuite. Il s'était réfugié dans sa coquille.

Ou plutôt dans ses vignes.

N'était-ce pas ainsi qu'il s'était comporté avec Nicky ? Dépassé par des émotions qu'il ne maîtrisait pas, il s'était montré froid et cruel. Incapable de gérer la situation, il avait préféré la blesser. A vrai dire, il l'avait même crucifiée. Par peur de se laisser entraîner sur une pente fatale.

Rafael se jeta sur sa chaise, et se prit la tête à deux mains. Il avait fini de se voiler la face.

Bien sûr, Nicky avait raison. Oui, il était pathétique dans son obstination obtuse. Sinon, pourquoi aurait-il continué à se cramponner à l'échec de son couple ?

Dieu tout-puissant ! Cela faisait presque dix ans. N'était-il pas temps de tourner la page ? Il n'avait plus vingt-trois ans, et Nicky ne ressemblait en rien à Marina.

Elle n'avait rien d'une gamine en mal d'affection. Elle

n'était pas du genre à se cramponner à lui comme à une bouée. Depuis toujours, elle s'assumait seule.

De plus, allait-il encore longtemps prétendre qu'il était impossible de faire la différence entre le désir et l'amour ?

Comme un lâche, il avait refusé d'affronter des vérités qui le dérangeaient trop. Parce qu'il lui fallait absolument tenir Nicky à distance, ainsi que les sentiments qu'elle lui inspirait.

Ce n'était pas le désir qui lui donnait envie de la protéger, de prendre soin d'elle. Et ce n'était pas le désir qui le rendait malade depuis leur rupture.

C'était l'amour !

Pendant cette interminable semaine, ce qui lui avait manqué, c'était la personnalité de Nicky. Sa vivacité. Son rire. Le regard qu'elle posait sur lui.

Pour la première fois de sa vie, il rêvait d'être celui sur lequel une femme s'appuierait. Celui auprès duquel elle viendrait chercher soutien et conseils.

Nicky était la femme la plus extraordinaire qu'il n'eût jamais rencontrée. La plus courageuse.

Bondissant sur ses pieds, il empoigna son portefeuille et les clés de sa voiture.

Ah, elle voulait qu'il soit capable de prendre des risques, et de montrer ses émotions ? Elle allait voir ce qu'elle allait voir !

Pourvu qu'il ne soit pas trop tard !

15.

Avec un moral qui jouait les montagnes russes, Nicky avait parfois bien du mal à garder entrain et optimisme.

Malgré tout, elle n'était pas trop mécontente d'elle-même.

Certes, pendant les premiers jours après son retour à Paris, elle n'avait cessé d'osciller entre le plus complet désespoir et le soulagement à l'idée de ne jamais revoir Rafael.

N'était-elle pas bien mieux, toute seule ?

Tout récemment, elle avait même réussi à penser à lui presque avec sérénité. *Presque* !

Ses projets avançaient. Elle avait jeté sa vieille et chère valise, et commencé à s'installer. Son appartement ne ressemblait plus à un simple lieu de transit. Elle avait même fait quelques efforts de décoration.

Bientôt elle se déciderait à effacer de son ordinateur toutes les photos prises en Andalousie. C'était indispensable, si elle voulait mettre cette période de sa vie derrière elle.

Néanmoins, chaque fois qu'elle était sur le point de cliquer sur le fichier pour le détruire, elle finissait par l'ouvrir pour faire défiler les clichés avec nostalgie.

Comme aujourd'hui.

Le cœur serré, elle soupira en voyant s'afficher sur l'écran le visage de Rafael. Il était si beau !

Assez. A quoi bon fantasmer sur ce qui aurait pu être, et ne serait jamais ?

Prenant son courage à deux mains, Nicky se prépara à

appuyer sur la touche « Supprimer ». Elle fut interrompue par la sonnerie de l'Interphone.

Eh bien, ce serait pour une autre fois, se dit-elle en fermant son ordinateur.

— Allô ? lança-t-elle dans l'appareil fixé au mur du hall d'entrée.

— Salut !

Oh ! Seigneur ! Une seule personne avait cette voix. Une voix dont les sonorités chaudes, et terriblement sexy, s'immisçaient jusqu'au tréfonds de son être, la faisant vibrer d'un plaisir intense et mystérieux.

— Rafael ?

Les jambes en coton, Nicky dut s'appuyer au mur pour ne pas tomber.

— Je peux monter ?

— Non !

— Je t'en prie.

— Gaby n'est pas là.

Après tout, c'était peut-être sa sœur à qui il venait rendre visite.

— Je sais. Ce n'est pas elle que je veux voir. C'est toi.

Nicky sentit son cœur marquer un arrêt, puis repartir au grand galop.

— Qu'est-ce que tu veux ?

— Ouvre-moi et je te le dirai.

Partagée entre ce que lui dictait sa raison et le désir fou de revoir Rafael, Nicky hésita un moment.

N'avait-elle pas été assez malheureuse ? Devait-elle se laisser fléchir à peine mettait-il un pied en bas de chez elle ?

— C'est bon. Je t'accorde cinq minutes. Pas plus.

— Cela me suffira.

Nicky appuya sur la touche de l'Interphone, puis s'empressa de vérifier dans le miroir de l'entrée à quoi elle ressemblait.

Elle parviendrait à garder son sang-froid, tenta-t-elle de se convaincre. Parce qu'il le fallait.

Mais ça, c'était avant de voir Rafael apparaître au bout du couloir.

Aussi ébouriffé que s'il sortait du lit, pâle à faire peur, les yeux hagards, il semblait étonnamment vulnérable et elle en fut bouleversée.

D'un seul coup, toutes les illusions dont elle s'était bercée volèrent en éclats. Non, elle n'était pas mieux toute seule. Non, elle n'avait pas cessé de l'aimer. Et elle le désirait toujours autant.

Tout au long du vol entre Madrid et Paris, Rafael avait ressassé ce qu'il allait dire à Nicky. Mais maintenant qu'elle levait vers lui son magnifique regard gris-bleu, il avait la bouche sèche et l'esprit désespérément vide.

— Nicky…, lâcha-t-il la gorge serrée.

— Entre, Rafael.

Elle s'écarta pour le laisser passer, et il fut sur le point de la prendre dans ses bras sans plus attendre. Ce qui n'aurait été qu'une erreur de plus, se sermonna-t-il *in petto*.

Refermant la porte, elle le précéda dans le salon et alla se percher sur le bord du bureau. A voir son expression sévère, Rafael se demanda s'il avait bien fait de venir.

Après la manière dont ils s'étaient quittés, il n'était guère étonnant qu'elle le reçoive fraîchement.

Mais peu importe, se dit-il, cela ne l'empêcherait pas de mener à bien sa mission. Il était assez amoureux pour accepter de se battre pour la reconquérir.

Il jeta un coup d'œil circulaire dans la pièce, remarquant les cadres accrochés au mur, les coussins de couleur vive sur le canapé. Ce n'était pas vraiment le décor minimaliste d'un lieu de passage, tel qu'elle le lui avait décrit.

— C'est plutôt joli chez toi, dit-il d'un ton où perçait l'étonnement.

— Merci. J'ai décidé que si je devais me fixer ici, il valait mieux que je fasse quelques efforts de décoration.

En fait, je suis en train de racheter l'appartement à mon propriétaire. J'ai vingt-neuf ans, je ne peux pas continuer à mener une vie de nomade.

Soudain, une sourde anxiété titilla Rafael : Nicky paraissait si tranquille, si sereine… Avait-elle définitivement tiré un trait sur leur histoire ?

— Félicitations. Tu m'as l'air en pleine forme.

— Oui. Pourquoi ? Cela t'étonne ? Oh ! je vois ! Tu t'attendais à me trouver au fond du gouffre. En train de verser des torrents de larmes à ton sujet…

Le regard las dont elle le gratifia, en observant une pause, fit frémir Rafael d'effroi. Avait-il anéanti tout l'amour qu'elle éprouvait pour lui, lorsqu'il s'était comporté comme un parfait goujat, ce soir-là, dans la voiture ?

— Pourquoi es-tu venu, Rafael ? reprit-elle. Probablement pas pour constater mes talents de décoratrice. Ni t'inquiéter de ma santé. Ce n'est pas ton genre !

Rafael prit une profonde inspiration et fourra les mains dans les poches arrière de son jean. Quels que puissent être les sentiments de Nicky à son égard, elle méritait néanmoins une explication.

— En fait, je suis venu pour te parler de mes vignes, annonça-t-il.

Oh ! pourquoi fallait-il que Rafael ait mis ainsi les mains dans ses poches ! se désola intérieurement Nicky. Cela ne faisait que tendre sa chemise sur son torse musclé, et elle faillit se jeter dans ses bras.

Jusque-là, elle avait réussi à afficher une impassibilité glaciale, dont elle voyait bien qu'elle le déstabilisait passablement. Ce qui ne laissait pas de la réjouir !

Mais le souvenir de son corps d'athlète avait fait monter en elle une onde de chaleur, et la Reine des Neiges commençait à fondre sans appel.

Il était urgent qu'elle se reprenne.

— Tes vignes ? Tu es venu jusqu'ici pour me parler de tes vignes ?

— En quelque sorte. Pour tout dire, tu avais raison sur toute la ligne. Chaque fois que je suis confronté à une situation difficile, je fuis. De préférence dans mon cher vignoble. C'est mon sanctuaire. Comme le fond du jardin, quand j'avais huit ans. Je suis effectivement un lâche. Quand tu m'as avoué ton amour, cela m'a terrifié. Ce n'est pas vraiment une excuse, mais c'est pour cela que j'ai agi comme un horrible mufle.

En voyant Rafael grimacer à cet aveu, avec une telle expression de résignation contrite, Nicky fut submergée par toutes les émotions qu'elle avait prétendu ignorer jusque-là.

— Pardonne-moi ! s'exclama-t-elle. Je n'aurais jamais dû te faire tous ces reproches.

— Ne t'excuse pas. J'avais besoin d'entendre cela. Et surtout venant de quelqu'un comme toi. Quelqu'un capable d'affronter les difficultés. Tu es courageuse !

La flamme qui s'était allumée dans les prunelles vert sombre fit bondir le cœur de Nicky. Elle se cramponna au bureau pour ne pas s'effondrer, lorsque Rafael s'approcha presque jusqu'à la toucher.

— Tu es si belle ! murmura-t-il.

— Tu es fou.

— Oui, fou de toi.

— *Quoi* ?

En proie à une tension insoutenable, Nicky crut qu'elle allait défaillir.

— Oui, Nicky. Je suis follement amoureux de toi. Comment ne pourrais-je pas l'être ? Tu es la femme la plus extraordinaire que j'aie jamais rencontrée. Il fallait vraiment que je sois le plus parfait des idiots pour ne pas m'en rendre compte. J'espère seulement que tu vas me permettre de tout faire pour effacer le mal que je t'ai fait. Accorde-moi un peu de temps, je t'en prie.

— Combien de temps ?

— Soixante-dix années, peut-être… C'est trop long pour toi ?

Alors, comme un tsunami emporte tout sur son passage, l'amour que Nicky éprouvait pour Rafael balaya tous ses doutes et ses appréhensions. Un immense bonheur l'envahit.

— Certainement pas trop long, dit-elle, puisque je t'aime de toute mon âme.

Rafael poussa un soupir où perçait son soulagement. Il la prit dans ses bras, et l'enlaça comme s'il ne voulait plus jamais qu'elle s'éloigne.

— Dieu soit loué ! souffla-t-il dans ses cheveux.

Puis il se recula, prit son visage entre ses mains, et l'embrassa avec une tendresse pleine de sensualité.

Lorsqu'il s'écarta pour reprendre son souffle, elle leva vers lui un regard malicieux.

— Tu es sûr que tu n'as pas peur que je compte trop sur toi pour prendre soin de moi, à l'avenir ?

— Je ne demande pas mieux. Et je sais que je pourrai aussi m'appuyer sur ta force et ta bravoure.

Dans les yeux de Rafael, Nicky vit briller un amour sans bornes, et une ineffable promesse de bonheur. Elle lui sourit et noua ses bras autour de son cou.

— Oui, Rafael, souffla-t-elle contre ses lèvres. Parce que je t'aimerai toujours.

Du nouveau dans votre collection *Azur*

Découvrez la nouvelle trilogie
de Melanie Milburne

Riches, impitoyables et irrésistibles…
La réputation des frères Caffarelli n'est plus à faire. Mais
leur fortune et leur pouvoir ne leur serviront à rien face
à l'amour.

3 romans inédits
à retrouver en octobre, novembre et décembre 2014

Rendez-vous dans vos points de vente habituels ou sur
www.harlequin.fr

éditions **H HARLEQUIN**

Découvrez la nouvelle saga *Azur*
de 8 titres inédits

PASSIONS SICILIENNES

*Et si seul l'amour avait le pouvoir
de sauver les Corretti ?*

1ᵉʳ avril   1ᵉʳ mai   1ᵉʳ juin   1ᵉʳ juillet

1ᵉʳ août   1ᵉʳ septembre   1ᵉʳ octobre   1ᵉʳ novembre

Rendez-vous dans vos points de vente habituels
ou en e-book sur www.harlequin.fr

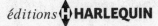

éditions **H HARLEQUIN**

collection *Azur*

Ne manquez pas, dès le 1er novembre

LA MARIÉE DE MARBELLA, *Carol Marinelli* • N°3525

Mariage Arrangé

Un costume sur mesure soulignant un corps athlétique, de profonds yeux noirs dans lesquels elle pourrait se perdre… Juan Sanchez Fuente est trait pour trait l'homme au bras duquel Estelle se serait imaginée quand elle rêvait, enfant, de son mariage. Hélas, le rêve s'arrête là. Car entre Juan et elle, il ne s'agit pas d'un mariage d'amour, mais d'une simple union de convenance, uniquement destinée à permettre à ce dernier de toucher son héritage. Si ce procédé fait horreur à Estelle, elle n'a pu se résoudre à refuser la proposition du richissime Espagnol. Pas quand l'importante somme d'argent qu'il lui offre en échange lui permettra de venir en aide à sa famille qui en a tant besoin…

UN SI TROUBLANT MENSONGE, *Lucy King* • N°3526

Si Zoe s'est inventé un fiancé, c'était sur une impulsion, pour impressionner ses anciennes camarades de classe dont les moqueries cruelles l'ont tant fait souffrir, autrefois. Et si elle a embrassé le séduisant inconnu qui venait d'entrer dans le bar où elles étaient réunies, c'était pour rendre son mensonge plus crédible. Hélas, quand les journaux du lendemain annoncent ses fiançailles avec Dan Forrester, le célibataire le plus convoité de Londres, Zoe sent que la situation lui a échappé. Mais puisque le mal est fait, pourquoi ne pas faire une folie, elle d'habitude si raisonnable ? Pour une nuit, elle voudrait tant oublier sa réserve, et connaître la passion dans les bras de cet homme dont un seul baiser a éveillé en elle un feu brûlant…

LA BRÛLURE DU SECRET, *Alison Fraser* • N°3527

Enfant Secret

Jack Doyle ! Lorsqu'elle reconnaît l'homme qui se tient sur le pas de sa porte, Esme est stupéfaite. Jamais elle n'aurait pu imaginer que le mystérieux milliardaire qui s'apprête à racheter le domaine familial n'était autre que Jack, le fils de leur ancienne cuisinière. Jack, entre les bras duquel elle a passé une brûlante nuit de passion, dix ans plus tôt, avant qu'il ne disparaisse du jour au lendemain. Jack, surtout, qui ignore tout de l'existence de Harry, le petit garçon qu'elle eu de lui. Une ignorance dans laquelle elle doit à tout prix le maintenir : elle refuse qu'il mette en péril la vie et le fragile équilibre qu'elle a construits pour son fils…

UN PLAY-BOY POUR AMANT, *Miranda Lee* • N°3528

« Je veux la meilleure : vous. » En entendant ces mots, Vivienne sent l'excitation la gagner. Certes, elle s'était promis de prendre des vacances, le temps de se remettre de la récente trahison de son fiancé, et de faire un point sur sa vie. Mais sa vie, n'est-ce pas justement son métier de décoratrice d'intérieur, qu'elle aime plus que tout ? Et le projet de rénovation que lui propose Jack Stone est particulièrement enthousiasmant. A condition, bien sûr, de parvenir à maîtriser le trouble intense que cet homme éveille en elle… Car retomber dans les bras d'un play-boy est bien la dernière chose dont elle a besoin.

PAR DEVOIR, PAR PASSION, *Kimberly Lang* • N°3529

Lorsque Brady Marshall lui propose d'intégrer son équipe de campagne, Aspyn est stupéfaite. Ne vient-elle pas de mettre les Marshall dans un embarras terrible en organisant une manifestation sous leurs fenêtres ? Pourtant, une fois revenue de sa surprise, Aspyn comprend que cette offre pourrait être l'occasion rêvée de défendre plus efficacement les convictions qui lui tiennent tant à cœur : pour elle, la protection de l'environnement est un engagement de tous les instants. Et tant pis si cela signifie aussi côtoyer, chaque jour, cet homme qu'elle considère comme un ennemi. Un ennemi terriblement séduisant, qu'elle saura remettre à sa place s'il le faut…

L'HÉRITIÈRE DE TARRINGTON PARK, *Carole Mortimer* • N°3530

Andrea a tout perdu : le père qu'elle aimait tant, le fiancé auprès duquel un avenir radieux s'offrait à elle, et la vie qu'elle a toujours connue. Aujourd'hui, elle n'a d'autre choix que de vendre Tarrington Park, le domaine familial, à Linus Harrison, aussi célèbre pour ses succès en affaires qu'auprès des femmes. Aussi, quelle n'est pas sa surprise lorsque l'arrogant milliardaire lui demande de devenir son assistante. Outre un salaire très confortable, ce travail lui permettrait de rester vivre dans les dépendances du domaine. Pourtant, Andrea hésite : pourquoi cet homme impitoyable se montre-t-il si généreux ? Et, s'il entreprend de la séduire, sera-t-elle capable de résister au trouble profond qu'il éveille en elle ?

LE SERMENT DU DÉSERT, *Lynn Raye Harris* • N°3531

Quand le cheikh Malik Al Dakhir, celui qui est encore son époux bien qu'elle ne l'ait pas revu depuis un an, lui apprend que selon les lois de son pays, ils ne peuvent divorcer qu'après avoir vécu quarante jours comme mari et femme sur le sol de Jahfar, Sydney sent l'angoisse l'envahir. Pourra-t-elle supporter une telle proximité, alors qu'elle a déjà dû rassembler tout son courage et toute sa volonté pour exiger le divorce ? Car si Malik n'éprouve qu'indifférence pour elle – comment expliquer, sinon, qu'il n'ait pas cherché à la retenir lorsqu'elle l'a quitté, après avoir compris qu'il considérait leur mariage comme erreur ? – elle n'a, quant à elle, jamais cessé d'aimer cet homme passionné et charismatique qui l'a séduite au premier regard…

L'ULTIMATUM D'UN MILLIARDAIRE, *Cathy Williams* • N°3532

Détestable. Il n'y a pas d'autre mot pour qualifier Damien Carver. Mais pour éviter la prison à sa jeune sœur, qui vient de dérober d'importants documents à cet homme, Violet est prête à tout. Même à accepter son odieux marché : jouer auprès de lui le rôle de sa fiancée dévouée, pendant toute la semaine que la mère du milliardaire doit passer à Londres. Un moyen pour lui de rassurer cette dernière, gravement malade. Si cette comédie lui fait horreur, Violet se demande bientôt si elle ne prend pas un risque encore plus grand qu'elle ne le croyait. Car, au fil des jours, elle a de plus en plus de mal à réprimer le désir intense que cet homme éveille en elle...

UNE TUMULTUEUSE PASSION, *Melanie Milburne* • N°3533

- Irrésistibles héritiers - 2ème partie

Depuis le terrible accident de jet-ski dont il a été victime, Raoul Caffarelli n'a plus qu'une obsession : s'isoler. Il refuse que quiconque le voie dans cet état de vulnérabilité, lui, le play-boy intrépide et indomptable. Aussi, quand son frère engage, sans même le prévenir, Lily Archer, une physiothérapeute renommée, est-il bien décidé à la renvoyer chez elle sans cérémonie. Mais à peine la jeune femme pénètre-t-elle dans son bureau qu'il sent un désir fou l'envahir. Un désir tel qu'il croyait ne plus jamais en ressentir. Au point qu'il décide de lui laisser sa chance, tout en se promettant de briser la réserve glaciale qu'elle lui oppose...

SCANDALE AU PALAZZO, *Maisey Yates* • N°3534

- La fierté des Corretti - 8ème partie

Alessia est furieuse. Comment Matteo Corretti ose-t-il l'ignorer alors qu'elle a renoncé à tout par amour pour lui ? Car c'est bien pour lui, l'homme qu'elle aime depuis l'enfance, qu'elle a refusé le mariage de convenance qui devait assurer son avenir et celui de sa famille. A-t-elle eu tort de croire que leur brûlante nuit d'amour signifiait quelque chose ? N'est-elle pour lui qu'une maîtresse parmi d'autre ? Si cette hypothèse lui brise le cœur, elle sait pourtant qu'aujourd'hui, compte avant tout l'enfant qu'elle porte. L'enfant de Matteo. Et pour le forcer à l'écouter et assumer ses responsabilités, elle est prête à tout. Même à livrer son bouleversant secret à la presse, si c'est le seul moyen d'attirer son attention !

Attention, numérotation des livres différente
pour le Canada : numéros 1962 à 1971.

www.harlequin.fr

Composé et édité par HARLEQUIN

Achevé d'imprimer en septembre 2014

La Flèche
Dépôt légal : octobre 2014

Imprimé en France